ACTUALITÉS SCIENTIFIQUES ET INDUSTRIELLES

302

EXPOSÉS SUR LA THÉORIE DES FONCTIONS

Publiés sous la direction de

PAUL MONTEL

Professeur à la Faculté des Sciences de l'Université de Paris

I

LES THÉORÈMES DE LA MOYENNE

POUR

LES POLYNOMES

PAR

J. FAVARD

Professeur à la Faculté des Sciences de Grenoble

PARIS

HERMANN & Cie, ÉDITEURS

6, Rue de la Sorbonne, 6

—

1936

INTRODUCTION

Les propositions connues sous le nom de théorèmes de la moyenne dans le Calcul intégral, ou de théorème de Rolle dans le Calcul différentiel, présentent toutes un caractère définitif. en ce sens que le résultat qualitatif qu'elles expriment ne peut être amélioré lorsqu'on se place dans tout le champ fonctionnel où ces propositions sont applicables.

Des précisions à ces énoncés ne pourront donc être obtenues qu'en restreignant ce champ ; mais alors la plus grande liberté est laissée quant au choix à faire parmi les fonctions et, dans ce choix, rien ne peut nous guider car les applications ne demandent pas autre chose, en général, que les énoncés qualitatifs. Seules l'élégance des résultats, ou la simplicité du choix, peuvent justifier les efforts ; mais celle-ci et celle-là sont subjectives et de plus, toutes deux, fonctions du siècle : la mode mathématique, pour être moins capricieuse que la mode tout court, n'en est pas moins changeante. Cependant, à l'heure actuelle, on ne saurait contester l'importance des séries de polynômes ou des séries de Fourier en analyse et c'est précisément du côté des polynômes et des polynômes trigonométriques que s'est déployée l'activité des chercheurs dans le domaine précédent.

En fait, dans ce qui va suivre, nous nous occuperons presque uniquement des polynômes et nous préciserons le premier théorème de la moyenne dont un cas particulier est, comme on sait, le théorème de Rolle ; quant au second théorème de la moyenne, il se déduit du premier par une intégration par parties, il est donc inutile d'en faire une étude particulière.

L'origine de ces recherches est, pour le domaine complexe, dans le théorème de Grace sur la place d'un zéro de la dérivée d'un polynôme prenant deux valeurs égales en deux points donnés et, pour le domaine réel, dans les recherches de M. P. Montel.

Je présente ici ce que je crois être l'essentiel des résultats obtenus jusqu'à ce jour dans les voies ainsi tracées, ainsi que les applications qui m'ont semblé les plus attrayantes. J'ai pu améliorer l'exposition de certains résultats et j'ai indiqué les points qui demanderaient de nouvelles recherches.

Je remercie M. P. Montel des observations qu'il a bien voulu faire sur mon manuscrit et qui m'ont permis d'améliorer et de préciser ma rédaction. Je le remercie également de l'honneur qu'il m'a fait en me confiant la rédaction de ce fascicule dans la collection d'exposés qu'il dirige.

J. F.

CHAPITRE I

DOMAINE COMPLEXE

1. — L'énoncé classique du théorème de Rolle ne s'applique qu'aux fonctions réelles d'une variable réelle et il faut renoncer à l'étendre au champ des fonctions analytiques d'une variable complexe z. Il suffit pour le voir de considérer la fonction e^z qui prend la valeur 1 pour $z = 2ki\pi$ (k entier) alors que sa dérivée ne s'annule jamais.

Par conséquent, on ne peut espérer d'extension du théorème de Rolle aux fonctions analytiques que dans un champ restreint ; par extension du théorème de Rolle, j'entends des connaissances relatives à la position d'un zéro de la dérivée d'une fonction du champ restreint prenant deux valeurs égales pour deux valeurs de z données.

Grace (1) (¹) a montré que l'on pouvait prendre pour champ celui des polynômes de degré inférieur à un nombre donné et, qualitativement, son résultat peut s'énoncer ainsi :

Soit $f(z)$ un polynôme de degré inférieur ou égal à $n + 1 (n > 0)$ prenant des valeurs égales pour $z = a$ et pour $z = b$, il existe un cercle, ayant pour centre le milieu du segment (a,b), dont le rayon dépend de n, de a et de b, et contenant, à son intérieur ou sur sa circonférence, une racine au moins de $f'(z)$.

2. *Résultats qualitatifs.* — Pour démontrer ce résultat nous emploierons d'abord la méthode des familles normales [Montel (1)], dont on connaît l'excellence dans toutes les questions qualitatives de la théorie des fonctions analytiques ; ainsi nous allons prouver

---

(¹) Un chiffre, placé après un nom d'auteur, renvoie au numéro correspondant de la bibliographie placée à la fin page 49.

d'abord qu'il existe un nombre R(n ; a,b) tel que $f'(z)$ admette une racine au moins de module non supérieur à R quand

$$f(a) = f(b),$$

et quand $f(z)$ est un polynôme de degré $n + 1$ au plus. Pour simplifier le langage, nous supposerons que la valeur commune de $f(a)$ et de $f(b)$ est zéro.

Supposons que le théorème ne soit pas vrai ; alors à toute valeur de l'entier positif m, on pourrait faire correspondre un polynôme $f_m(z)$, s'annulant pour a et pour b, de degré non supérieur à $n + 1$ mais plus grand que 1, et dont la dérivée n'aurait aucune racine de module inférieur à m.

La suite $\{\, f_m(z)\,\}$ n'est peut-être pas normale, mais en désignant par a_m l'un des coefficients de f_m, pris parmi ceux dont le module est le plus grand, la suite $\left\{\dfrac{f_m}{a_m}\right\}$ est normale, puisqu'elle est formée de polynômes dont un coefficient est l'unité tandis que le module des autres coefficients ne dépasse pas l'unité [1]. On pourra donc extraire de la suite précédente une suite $\left\{\dfrac{f_{m_k}}{a_{m_k}}\right\}$ qui convergera, dans tout domaine borné du plan, vers un polynôme $f^*(z)$ dont un coefficient sera l'unité ; $f^*(z)$ ne sera donc pas identiquement nul et, comme les polynômes $f_m(z)$, il s'annulera pour $z = a$ et $z = b$, il sera donc du second degré au moins, et sa dérivée aura au moins une racine à distance finie ζ. De là suit, en vertu de la continuité des racines d'un polynôme en fonction des coefficients que les polynomes $\left\{\dfrac{f'_{m_k}}{a_{m_k}}\right\}$ auront, à partir d'une certaine valeur de m_k, une racine au moins aussi voisine de ζ que l'on veut, contrairement à l'hypothèse. L'existence du nombre R(n ; a,b) est donc assurée.

Plus généralement, et par le même raisonnement, nous avons le théorème : *Soit $f(z)$ un polynôme de degré $n + p - 1$ au plus, s'annulant en p points donnés a_ν ($\nu = 1,..., p$), à tout nombre $r < p$, on peut faire correspondre un nombre :*

$$R^{(r)}(n ; \quad a_1, a_2, \cdots, a_p)$$

---

[1] Cette façon de tirer de la suite $\{\, f_m\,\}$ une suite normale est due à M. M. Biernacki qui l'a exposée dans une lettre à M. P. Montel.

tel que la dérivée $f^{(r)}(z)$ ait au moins $p\text{-}r$ racines dont les modules ne surpassent pas le nombre $R^{(r)}$.

Au lieu de donner p racines du polynôme $f(z)$, on peut donner ses valeurs en $p + 1$ points, à condition que ces valeurs ne soient pas celles prises en ces points par un polynôme de degré inférieur à p, pour obtenir un résultat analogue au précédent.

3. — De ce qui précède résulte que la position du centre du cercle où se trouve une racine de $f'(z)$, dans le cas n° 2 par exemple, est indifférente. Dans ce cas d'ailleurs, on peut, sans nuire à la généralité, supposer que $a = -1$ et $b = 1$. Une similitude suffit pour ramener le cas général à celui-ci, de sorte que nous pouvons préciser notre résultat en disant :

Il existe un nombre $R(n)$ tel que la dérivée de tout polynôme de degré $n + 1$, prenant deux valeurs égales pour a et b, admette au moins une racine non extérieure au cercle ayant pour centre le milieu des deux points a et b et pour rayon :

$$\left| \frac{a - b}{2} \right| R(n).$$

Nous allons nous attacher à la détermination de la fonction $R(n)$ par une méthode qui nous donnera du même coup la solution d'autres problèmes d'un genre que nous allons préciser.

Désignons par $P(z)$ la dérivée d'un polynôme $f(z)$ de degré $n + 1$ au plus prenant des valeurs égales pour $z = -1$ et $z = 1$ et posons :

$$(1) \qquad P(z) = a_0 + a_1 z + \cdots + a_n z^n.$$

Notre hypothèse sur $f(z)$ nous donne, entre les coefficients de $P(z)$ la relation :

$$\int_{-1}^{+1} P(z)dz = 2a_0 + \frac{2}{3}a_2 + \cdots = 0$$

qui est de la forme :

$$(2) \qquad a_0 c_0 + a_1 c_1 + \cdots + a_n c_n = 0$$

et nous allons montrer qu'une relation de cette forme, entre les coefficients d'un polynôme, permet d'obtenir des précisions sur la position d'une racine du polynôme.

4. *Théorème fondamental.* — Désignons par σ_ν les fonctions symétriques élémentaires de degré ν des racines z_ν de P(z) et par s_ν celles des racines x_ν de l'équation :

$$(3) \qquad (-1)^n c_0 x^n + \cdots + C_n^2 c_{n-2} x^2 - C_n c_{n-1} x + c_n = 0.$$

La relation (2) s'écrit :

$$(2') \qquad \sum_0^n \frac{(-1)^\nu}{C_n^\nu} s_{n-\nu} \sigma_\nu = 0.$$

On a alors le résultat suivant dû à Grace (1).

Si deux groupes de nombres x_ν et z_ν ($\nu = 1, 2,..., n$) satisfont à la relation (2'), toute région circulaire contenant tous les nombres d'un même groupe contient au moins un nombre du second groupe ([1]).

Par région circulaire nous entendons soit la fermeture de l'intérieur, soit la fermeture de l'extérieur d'un cercle, soit un demiplan fermé.

On voit facilement que (2') est une relation invariante par toute homographie du plan complexe.

Supposons donc que x_n, par exemple soit à l'extérieur d'une région circulaire C contenant tous les z_ν ; par une homographie, transformons le point x_n dans le point ∞, la relation se réduit à :

$$- \sum_0^{n-1} \frac{(-1)^{\nu-1}}{C_n^\nu} s''_{n-\nu-1} \sigma'_\nu = 0,$$

où, par s''_ν on a désigné les fonctions symétriques élémentaires des transformés des x_ν ($\nu = 1, 2,..., n-1$) et par σ'_ν celles des transformés z'_ν des z_ν. Désignons maintenant par z''_ν les racines de la dérivée du polynome ayant pour racines les z'_ν ; d'après le théorème de Gauss-Lucas, ces points sont à l'intérieur de la région bornée C' transformée de C, soient σ''_ν leurs fonctions symétriques élémentaires, on a évidemment :

$$\frac{1}{C_{n-1}^\nu} \sigma''_\nu = \frac{1}{C_n^\nu} \sigma'_\nu$$

([1]) On peut supposer qu'un, ou plusieurs, des nombres d'un même groupe sont infinis ; si x_ν est infini, par exemple, il suffit de remplacer (2') par :

$$\lim_{x_\nu \to \infty} \left\{ \frac{\sum_0^n \dfrac{(-1)^\nu s_{n-\nu} \sigma_\nu}{C_n^\nu}}{x_\nu} \right\} = 0.$$

et la relation précédente devient :

$$\sum_0^{n-1} \frac{(-1)^\nu - 1}{C_{n-1}^\nu} s''_{n-\nu-1} \sigma''_\nu = 0.$$

C'est la relation (2′), mais avec deux groupes de $n-1$ points seulement, donc, si le théorème est vrai jusqu'à $n-1$, il est vrai pour n, or il est évident pour $n = 1$, il est donc général.

Cette démonstration (¹) est due à M. J. Dieudonné (2).

5, — Deux polynômes (1) et (3) dont les coefficients sont reliés par la relation (2), ou (2′) sont dits *apolaires*. Pour les applications nous énoncerons le résultat précédent de la façon suivante :

Lorsque les coefficients d'un polynôme, de la forme (1), *satisfont à une relation de la forme* (2), *il y a au moins une racine de* (1) *dans toute région circulaire contenant les racines de* (3).

Nous remarquons que l'équation (3) s'obtient en écrivant la relation (2) pour le polynôme

$$P(z) = (z - x)^n$$

où x désigne un paramètre ; $(z-x)^n$ satisfait donc à (2) lorsque x est une racine de (3) et cela nous montre qu'on ne peut espérer améliorer le résultat ci-dessus.

6. *Applications.* — Démontrons à présent le théorème de Grace (1) (²) sur la dérivée d'un polynome.

Si un polynôme de degré $n + 1$ prend deux valeurs égales pour $z = -1$ et $z = 1$, sa dérivée s'annule à l'intérieur ou sur la frontière d'un cercle, de centre l'origine, et de rayon : $\operatorname{ctg} \dfrac{\pi}{n+1}$.

L'hypothèse faite sur le polynôme entraîne en effet une relation de la forme (2′) entre les coefficients de la dérivée $P(z)$ du polynôme. L'équation analogue à (3), qui s'obtient en faisant

$$P(z) = (z - x)^n$$

sera donc :

$$(3') \qquad \int_{-1}^{+1} (z-x)^n dz = \frac{(1-x)^{n+1} - (-1-x)^{n+1}}{n+1} = 0.$$

(¹) D'autres démonstrations sont dues à MM. G. Szegö (1) et A. Cohn (1).
(²) Ce théorème a été retrouvé par Heawood (1) ; et par P. Sergescu pour l'équation du 3ᵉ degré.

Les racines de cette équation sont :

$$x'_\nu = i \operatorname{ctg} \frac{\nu\pi}{n+1} \qquad\qquad (\nu = 1, 2, \cdots, n)$$

Parmi ces points, les plus éloignés de l'origine sont x'_1 et x'_n qui, tous deux, ont pour module $\operatorname{ctg} \dfrac{\pi}{n+1}$, ce qui achève notre démonstration [1].

Le résultat précédent n'est que la traduction, dans ce cas particulier, d'une partie du résultat général obtenu au paragraphe 6 ; ce dernier résultat nous donne aussi des énoncés tels que les suivants :

Si un polynôme de degré $n + 1$ prend deux valeurs égales pour -1 et pour $+1$, sa dérivée $P(z)$ a une racine au moins dans chacun des demi-plans fermés limités par l'axe imaginaire (Grace (1), puisque toutes les racines de (3') sont sur l'axe imaginaire ; $P(z)$ a également une racine dans un demi-plan fermé contenant l'origine à son intérieur et limité par une droite passant par l'un des points x'_1 ou x'_n, ou dans tout cercle passant par ces deux points ; de même $P(z)$ a une racine à l'extérieur, ou sur le contour, de tout cercle passant par les deux points x'_ν et $x'_{\nu+1}$ ($\nu \leq n - 1$) ; en particulier, dans le cas où n est pair, $P(z)$ a une racine de module au moins égal à $\operatorname{tg} \dfrac{\pi}{2(n+1)}$. [Szegö (1)].

7. — On ne connaît pas à l'heure actuelle de méthode pour trouver d'une façon précise le nombre $R^{(r)}$ dont nous avons démontré l'existence dans le paragraphe 2. Le résultat de Grace permet de trouver, dans beaucoup de cas, une borne supérieure pour ce nombre.

Par contre, le nombre $R^{(p-1)}$ peut être déterminé exactement car il ne s'agit plus que d'indiquer des domaines circulaires fermés contenant au moins un nombre. Le polynôme $f(z)$ n'a d'ailleurs pas besoin de s'annuler aux points a_ν, il suffit qu'il prenne en ces

---

[1] La région circulaire de l'énoncé ne constitue un ensemble minimum que pour $n < 3$. Pour $n = 3$ un ensemble minimum, composé de deux segments de cercles a été déterminé par HEAWOOD (1) qui a, de plus, tenté quelques essais pour $n > 3$. La question reste donc ouverte.

points les mêmes valeurs qu'un polynôme de degré $p - 2$. Lorsque les a_ν sont différents [1], l'équation analogue à (3) s'écrit :

$$\left| 1\, a_\nu\, a_\nu^2 \cdots a_\nu^{p-2} (a_\nu - x)^{n+p-1} \right| = 0 \quad (\nu = 1, 2, \cdots, p).$$

Par exemple si un polynôme, de degré $n + 2$ au plus, s'annule pour -1, 0 et 1, sa dérivée seconde s'annulera dans toute région circulaire contenant les racines de :

$$(1 - x)^{n+2} + (-1 - x)^{n+2} - 2(-x)^{n+2} = 0,$$

qui a toutes ses racines sur l'axe imaginaire comme on le voit en posant : $x = i\,ctg\,\vartheta$; on trouve d'ailleurs facilement pour les racines de l'équation en ϑ :

$$\frac{\nu\pi}{n+2} < \vartheta_\nu < \frac{(\nu+1)\pi}{n+2} \qquad (\nu = 1, 2, \cdots, n).$$

Aux questions soulevées ici se rattachent les recherches relatives au résultat qualitatif suivant, facile à obtenir par la méthode du paragraphe 2 : si un cercle de rayon ρ contient p zéros d'un polynome de degré n ($\geq p$), il existe un cercle concentrique de rayon $R^{(r)}(n,p) \cdot \rho$ contenant $p - r$ zéros de la dérivée. On trouve facilement, en utilisant le résultat de Grace [2] : $R^{(1)}(n\,;\,2) = \dfrac{1}{\sin\dfrac{\pi}{n}}$ [Kakeya (1)]. M. Biernacki (1) a d'autre part trouvé :

$$R^{(1)}(n, n-1) \leqslant \sqrt{1 + \frac{1}{n}},$$

la limite étant exacte pour n impair ; pour n pair il a trouvé de plus une borne inférieure qui serait exacte si les équations pour lesquelles la limite est atteinte avaient obligatoirement une racine double au moins.

La fonction $R^{(r)}(n,p)$ n'est connue que dans les deux cas précédents, quoique M. Kakeya (1) ait donné une méthode théorique de calcul pour $R^{(1)}$; cependant la fonction $R^{(p-1)}$ semble être d'une détermination facile.

8. — Pour obtenir son résultat, M. Biernacki utilise des considérations mécaniques et les méthodes classiques de recherches

---

[1] Lorsque les a_ν ne sont pas tous différents, l'équation analogue à (3) peut être obtenue, à partir de celle du texte, par un passage à la limite [MONTEL (2)].

[2] Un résultat équivalent est démontré ci-dessous (n° **14**).

des extremums d'une fonction de plusieurs variables. Ces méthodes, déjà anciennes, puisqu'elles ont été utilisées par Lucas et Heawood (1), avaient déjà été reprises par M. Walsh (1, 2, 3) pour obtenir des résultats sur les zéros des dérivées des polynômes et des fractions rationnelles. Les résultats de cet auteur ne se rattachent que d'assez loin à notre sujet, nous citerons cependant le suivant :

Soient $P_1(z)$ *et* $P_2(z)$ *deux polynômes, de degrés* n_1 *et* n_2, *dont les racines sont respectivement dans des régions circulaires bornées* c_1 *et* c_2, *alors* :

1º *Les racines de la dérivée du polynome* $P_1 \times P_2$, *sont ou dans* c_1, *ou dans* c_2, *ou dans la région circulaire* : $\dfrac{n_1 c_1 + n_2 c_2}{n_1 + n_2}$.

2º *Si* $n_1 \neq n_2$ *les racines de la dérivée de la fraction rationnelle* $\dfrac{P_1}{P_2}$ *sont ou dans* c_1, *ou dans* c_2, *ou dans la région circulaire* (1) : $\dfrac{n_1 c_1 - n_2 c_2}{n_1 - n_2}$. *Si* $n_1 = n_2$ *et si* c_1 *et* c_2 *n'ont aucun point commun, les dérivées de cette fraction sont dans* c_1 *ou dans* c_2.

M. Biernacki (1) a pu améliorer les résultats de M. Walsh dans certains cas particuliers, ainsi :

Lorsque $P(z)$, *de degré* n *a tous zéros dans le cercle* $|z| \leqslant 1$, *tous les zéros de la dérivée de* $\dfrac{P'(z)}{P(z)}$ *sont dans le cercle* :

$$|z| \leqslant \sqrt{2} \quad , \quad n \text{ pair}$$
$$|z| \leqslant \frac{\sqrt{n-1} + \sqrt{n+1}}{2\sqrt{n}} \quad , \quad n \text{ impair,}$$

et ces limites sont atteintes.

Enfin, toujours au sujet des fonctions rationnelles, citons le résultat de M. Dieudonné (2) : Si les points $x_1 \ldots x_n$ sont distincts et situés sur une circonférence (C), toutes les dérivées de la fonction :

$$\frac{a_1}{z - x_1} + \frac{a_2}{z - x_2} + \cdots + \frac{a_n}{z - x_n} = 0$$

ont, quelles que soient les constantes a, au moins un zéro dans chaque région circulaire déterminée par (C).

---

(1) Il faut entendre, par la notation $\dfrac{n_1 c_1 \pm n_2 c_2}{n_1 \pm n_2}$, l'ensemble des points $\dfrac{n_1 z_1 \pm n_2 z_2}{n_1 \pm n_2}$ lorsque les points z_1 et z_2 décrivent c_1 et c_2.

Dans le même travail, M. J. Dieudonné a proposé d'appeler *apolarité généralisée* entre un groupe de n points $(x_1,\ldots x_n)$ et un groupe de m points $(z_1, z_2,\ldots z_m)$, une relation algébrique entre les fonctions symétriques élémentaires :

$$\varphi(s_1,\cdots,s_n,\; \sigma_1,\cdots \sigma_m) = 0$$

telle que toute région circulaire contenant les x_ν contienne au moins un des z_ν.

Il a pu obtenir des conditions nécessaires et suffisantes pour qu'un polynome φ des variables s et σ soit une apolarité généralisée : ainsi se trouve ouverte une nouvelle voie d'extension du théorème de Grace.

Enfin la base des recherches de M. P. Montel (4), relatives au domaine réel, est le résultat suivant, du domaine complexe.

Soit $f(z)$ une fonction holomorphe dans une ellipse (E) de foyers — 1 et + 1, réelle lorsque z est réel, telle que $|f(z)| \leqslant 1$ dans (E), s'annulant pour — 1 et + 1 et telle de plus que $f(0) = a_0 \neq 0$. Il existe alors un nombre réel $\theta(a_0, E)$, compris entre 0 et 1, tel que $f'(z)$ ait au moins un zéro dans l'intervalle — θ, + θ. Quoique M. J. Dieudonné (1) ait pu apporter quelques précisions à ce résultat, la valeur exacte de la constante $\theta(a_0, E)$ n'est pas connue.

9. *Réciproque du théorème de Rolle.* — Revenons maintenant au théorème de Rolle, qui nous a servi de point de départ, et, puisqu'il est impossible d'indiquer, en général, un domaine où la dérivée $f'(z)$ d'une fonction analytique $f(z)$ s'annule quand on suppose que $f(z)$ prend des valeurs égales en deux points donnés, prenons, avec M. Pompeiu (1), le problème inverse : donnons-nous un zéro de $f'(z)$ et cherchons s'il est possible de déterminer deux points où la fonction prend la même valeur.

Tout d'abord si l'on se pose le problème ci-dessus pour les fonctions réelles $f(x)$ d'une variable réelle x, il est immédiat que la négative est la réponse au problème : la dérivée d'une fonction réelle peut s'annuler sans que la fonction elle-même reprenne deux fois la même valeur, ainsi que cela a lieu pour la fonction $f(x) = x^3$.

Dans le cas des fonctions analytiques au contraire, nous allons voir que la réponse est affirmative.

10. — La démonstration de ce fait n'utilisant que fort peu les propriétés des fonctions analytiques, nous allons rappeler les quelques notions de topologie que nous emploierons.

Soit C une courbe de Jordan plane fermée, c'est-à-dire l'image continue d'un cercle, ou encore le lieu des points $M(\theta)$ $(0 \leqslant \theta \leqslant 2\pi)$ avec $M(0) = M(2\pi)$.

Soit O un point du plan n'appartenant pas à la courbe, marquons sur le cercle $(0 \leqslant \theta < 2\pi)$ p points de division θ_ν $(\nu = 1, 2, ..., p)$ (avec par exemple $\theta_1 = 0, \theta_\nu < \theta_{\nu+1}$ en posant $\theta_{p+1} = 2\pi$) et soient M_ν les points correspondants de C, faisons la somme :

$$\sum_1^p (\widehat{OM_\nu, OM_\nu + 1}) \qquad (\text{avec} |\widehat{OM_\nu, OM_\nu + 1}| < 2\pi) \qquad (M_{p+1} = M_1)$$

Lorsque le diamètre des arcs $M_\nu M_{\nu+1}$ est suffisamment petit, on montre facilement [1] que la somme précédente est invariable et égale, par suite, à un multiple de 2π, soit $2n\pi$ (n pouvant être nul). Si l'on change le sens de parcours sur la courbe, tous les angles précédents changent de signe de sorte que OM tourne autour de l'origine de l'angle $- 2n\pi$; le nombre entier fini $| n |$ est appelé *l'ordre du point* O *par rapport à la courbe* C.

Il est immédiat que l'ordre d'un point O′, voisin de O, est le même que celui de O car les angles de la somme précédente sont des fonctions continues de O ; de proche en proche, on voit donc que l'ordre est le même pour tous les points d'un domaine limité par la courbe ; en particulier, dans le domaine du point à l'infini, l'ordre est nul.

La continuité de l'angle nous donne encore le résultat suivant :

Soit C_r $(a \leqslant r \leqslant b)$ un ensemble de courbes fermées de Jordan qui dépendent du paramètre r d'une façon continue ; si l'on suppose que ces courbes restent à une distance positive d'un point O, l'ordre $| n_r |$ de O par rapport à toutes ces courbes est le même.

11. — Cela posé soit $f(z)$ une fonction analytique holomorphe définie dans un domaine contenant le point z_0, supposons que cette fonction s'annule ainsi que ses p premières dérivées au point z_0, de sorte que :

$$f(z) = c_{p+1}(z - z_0)^{p+1}[1 + \varepsilon(z)],$$

---

[1] Voir par exemple, von KERÉKJARTO : *Vorlesungen über Topologie* (J. Springer, 1923).

où c_{p+1} désigne une constante et $\varepsilon(z)$ une fonction analytique de z tendant vers zéro avec $|z - z_0|$. Si au point d'affixe z, nous faisons correspondre, dans un autre plan, un point d'affixe Z par la formule :

$$(12) \qquad\qquad Z = f(z)$$

et si, dans le plan des z, on se déplace sur le cercle $|z - z_0| = r$, le point Z correspondant décrit une courbe de Jordan et, d'après le résultat précédent, lorsque r est suffisamment petit, l'ordre de l'origine par rapport à cette courbe, est le même que celui relatif à la courbe :

$$Z = c_{p+1}(z - z_0{}^p)^{+1} \qquad\qquad |z - z_0| = r$$

c'est-à-dire $p + 1$.

Par suite, si l'on considère une courbe de Jordan simple C, dont l'intérieur et la frontière se trouvent à l'intérieur du domaine où la fonction est définie, contenant le point z_0 à son intérieur, mais ne contenant aucun autre zéro de $f(z)$, cette courbe C peut être déformée d'une façon continue à son intérieur en un cercle de centre z_0, de sorte que l'ordre de l'origine, par rapport à l'image de cette courbe dans le plan des Z, obtenue par la transformation (12), est aussi $p + 1$.

Ce résultat est susceptible de généralisations faciles, ainsi :

Lorsque la courbe C contient à son intérieur des zéros de $f(z)$, différents de z_0, l'ordre de l'origine par rapport à son image est supérieur à $p + 1$; lorsque C passe par des zéros de $f(z)$, il existe toujours, dans le plan des Z, des points dont l'ordre par rapport à son image est au moins égal à $p + 1$.

Les considérations précédentes sont encore valables lorsque la courbe C n'est plus simple, il suffit qu'elle ne contienne que des points frontières, que son ordre par rapport à z_0 ne soit pas nul et que l'on puisse par déformation effectuée dans le domaine où $f(z)$ est définie, la réduire à un point.

12. — Dans le cas où C est simple, soit $Z_1 = f(z_1)$, l'affixe d'un point suffisamment voisin de zéro pour que son ordre par rapport à l'image de C soit au moins $p + 1$, lorsque Z décrit cette image, l'argument du vecteur :

$$Z - Z_1 = f(z) - f(z_1)$$

varie, en valeur absolue, d'au moins $2(p + 1)\pi$; mais, en vertu
d'un résultat classique de la théorie des fonctions analytiques,
cela veut dire que la fonction : $f(z) — f(z_1)$, s'annule $(p + 1)$ fois
au moins à l'intérieur de C. Le point z, peut être choisi d'ailleurs
tel que ces racines soient toutes simples; ainsi *on peut déterminer*
$p + 1$ *points distincts* z_ν ($\nu = 1, 2,..., p + 1$) *tels que* :

$$f(z_1) = f(z_2) = \cdots = f(z_{p+1}).$$

Tout domaine entourant le point z_0, contient des courbes C
on peut donc dire que des points z_ν pourront être déterminés
dans l'un quelconque de ces domaines.

Dans le cas particulier où $p = 1$, lorsque la courbe C n'est
plus assujettie à être simple, mais contient une courbe simple
dont l'ordre par rapport à z_0 n'est pas nul, on peut apporter à
ce résultat une précision très importante due à M. Montel (2).

L'image de C admet, comme nous l'avons vu, des points dont
l'ordre est au moins 2, donc cette image ne peut être une courbe
simple, elle admet donc au moins un point double provenant
de deux points différents de C, lorsque C est simple, et aussi
lorsque C n'est pas simple en vertu de notre hypothèse sur C;
ainsi :

Si une fonction analytique $f(z)$ *admet un zéro, au moins double,
en un point* z_0, *sur toute courbe de Jordan* C *réductible par déformation, dans le domaine où* $f(z)$ *est définie, au point* z_0, *et telle
que l'ordre de* z_0 *par rapport à cette courbe ne soit pas nul, il existe
au moins deux points* z_1 *et* z_2 *tels que* :

$$f(z_1) = f(z_2)$$

Voici une extension de ce résultat :

Considérons un domaine D simplement connexe contenant z_0
et contenu, ainsi que sa frontière, dans le domaine où $f(z)$ est analytique, si la frontière de D ne contient aucun zéro de frontière
$f(z)$, alors elle contient deux points z_1 et z_2 tels que

$$f(z_1) = f(z_2)$$

La démonstration est immédiate si l'on remarque que D peut
être approché au moyen de domaines limités par des courbes de
Jordan.

Pour $p \geqslant 2$ des résultats analogues au théorème de Montel seraient souhaitables ; ces résultats dépendent de ceux relatifs aux points multiples des courbes de Jordan qui admettent des points dont l'ordre par rapport à ces courbes est donné ; à ma connaissance une telle étude n'a pas été faite. Dans le cas où $p = 2$, on a cependant le résultat suivant, l'image d'une courbe C simple admettra au moins deux points doubles si elle n'admet pas de point triple, par suite :

Si une fonction analytique $f(z)$ admet un zéro au moins triple en un point z_0, sur toute courbe de Jordan simple entourant z_0, il existe :

ou trois points z_1, z_2, z_3 différents tels que :

$$f(z_1) = f(z_2) = f(z_3)$$

ou deux paires de points z_1, z_2 ; z_3, z_4 différents et tels que :

$$f(z_1) = f(z_2) ; \quad f(z_3) = f(z_4).$$

13. — Ne faisant maintenant aucune hypothèse relative aux dérivées de la fonction $f(z)$ au point z_0, le premier résultat que nous avons prouvé ci-dessus, s'applique à la fonction :

$$f(z) - f(z_0) - \frac{z - z_0}{1 !} f'(z_0) - \cdots - \frac{(z - z_0)^p}{p !} f^{(p)}(z_0)$$

et posant alors :

$$D_{z_\nu}^{(p+1)}(f) = |\, 1 \ z_\nu \ z_\nu^2 \cdots z_\nu^{p-1} f(z_\nu)\,| \qquad (\nu = 1, 2, \cdots, p + 1)$$

il s'exprime :

Dans tout domaine entourant le point z_0, on peut trouver $p + 1$ points distincts z_ν tels que :

$$D_{z_\nu}^{(p+1)}(f) = \frac{f^{(p)}(z_0)}{p !} D_{z_\nu}^{(p+1)}(z^p)$$

Enfin le résultat de M. Montel s'exprime par exemple comme il suit :

Sur toute courbe de Jordan simple contenue, ainsi que son intérieur, dans le domaine où $f(z)$ est définie, mais contenant z_0 à son intérieur, il existe deux points z_1 et z_2 tels que :

$$\frac{f(z_2) - f(z_1)}{z_2 - z_1} = f'(z_0).$$

J. Favard.   2

14. — Dans le cas où $f(z)$ est un polynome on peut obtenir quelques précisions supplémentaires sur les positions relatives des points qui figurent dans les énoncés précédents. Nous nous contenterons d'examiner les cas où $p = 1$. Soit alors $n + 1$ le degré de $f(z)$ soit z_0 un point où $f'(z)$ s'annule, et soient z_1 et z_2 deux points où $f(z)$, reprend la même valeur; nous supposerons d'abord que z_1 n'est pas racine de $f'(z)$. D'après le théorème de Grace, le rapport des distances de z_0 à $\frac{z_1 + z_2}{2}$ d'une part et de z_1 (ou z_2) à $\frac{z_1 + z_2}{2}$ d'autre part, ne peut dépasser $ctg \frac{\pi}{n + 1}$ de sorte que le point $\frac{z_1 + z_2}{2}$ n'est pas intérieur au cercle lieu des points z tels que :

$$\left| \frac{z_0 - z}{z_1 - z} \right| = ctg \frac{\pi}{n + 1}$$

Ce cercle, centré sur z_0 z_1, est vu de z_1 sous l'angle $\frac{2\pi}{n + 1}$ et z_0 est le pôle de la perpendiculaire à $z_0 z_1$ menée par z_1. Par conséquent le point $\frac{z_1 + z_2}{2}$ ne peut être intérieur à aucun des cercles précédents construits à partir de z_1 et en donnant à z_0 les valeurs des diverses racines de $f'(z)$; le point z_2 ne sera donc pas intérieur à l'homothétique du domaine d'exclusion ainsi trouvé avec 2 comme rapport d'homothétie et z_1 pour centre. Mais ce domaine est en général de forme compliquée, nous allons donc indiquer des domaines plus simples qu'il contient ; ainsi nous allons voir que z_2 ne peut être intérieur à un cercle contenant z_1 et vu de chacun des zéros de $f'(z)$ sous un angle inférieur ou égal à $\frac{2\pi}{n + 1}$.

Soit en effet ζ le centre d'un tel cercle et z_1 et z_2 deux points intérieurs quelconques, il faut montrer que, pour toute racine z_0 de $f'(z)$ on a :

$$\left| \frac{z_0 - \frac{z_1 + z_2}{2}}{z_1 - \frac{z_1 + z_2}{2}} \right| = \left| \frac{z_0 - \frac{z_1 + z_2}{2}}{\frac{z_1 - z_2}{2}} \right| > ctg \frac{\pi}{n + 1}.$$

Au dénominateur de cette fraction figure la moitié de la distance de z_1 à z_2, il s'ensuit que le minimum de la fraction sera réalisé, lorsque $\frac{z_1 + z_2}{2}$ est donné, quand z_1 et z_2 seront sur le cercle, leur support étant rectangulaire à la direction joignant ζ à

$\frac{z_1 + z_2}{2}$. Cela étant, lorsque $\frac{z_1 + z_2}{2} - \zeta$ à un module donné, le minimum du numérateur de la fraction a lieu lorsque $\frac{z_1 + z_2}{2}$ est sur la droite joignant ζ à z_0. Il ne reste plus qu'à faire déplacer le point $\frac{z_1 + z_2}{2}$ sur cette droite ce qui, après un calcul facile, conduit à l'inégalité précédente ; le signe d'égalité n'ayant lieu que si, de z_0, le centre est vu sous l'angle $\frac{2\pi}{n + 1}$ et si z_1 et z_2 sont sur la polaire du point z_0 par rapport au cercle.

Le raisonnement précédent nous montre aussi que, dans le cercle précédent, le polynôme $f(z)$ est univalent (c'est-à-dire qu'il ne reprend jamais deux fois la même valeur), donc :

Un polynôme de degré $n + 1$ *est univalent dans tout cercle vu de chacune des racines de sa dérivée sous un angle ne dépassant pas* $\frac{2\pi}{n + 1}$.

Ce résultat est dû à Alexander (1) et Kakeya (1), il est le meilleur possible pour tous les polynomes de degré $n + 1$ comme le montre l'exemple $f(z) = (z - z_0)^{n+1}$.

Enfin si z_1 est un zéro de $f'(z)$ tous les résultats précédents valent sauf, bien entendu, le dernier ; ainsi, dans ce cas, nous pourrons, par exemple, borner inférieurement la distance des deux points z_1 et z_2 qui figurent dans le théorème de M. Montel.

CHAPITRE II

DOMAINE RÉEL

1. — Le théorème de Grace qui a servi de base aux études du chapitre précédent, a été établi avec le souci de donner un complément au théorème de Rolle appliqué au cas des polynomes à coefficients réels ou imaginaires. On a ainsi gagné en généralité, mais perdu en précision pour le cas réel qui est le cas d'application du théorème de Rolle.

Par exemple si :

$$\text{(R)} \qquad \int_{-1}^{+1} P(x)dx = 0$$

où $P(x)$ désigne un polynôme à coefficients réels, nous savons que $P(x)$ a une racine réelle comprise entre -1 et $+1$, tandis que le théorème de Grace ne peut nous fournir qu'un résultat moins précis.

M. Pompeiu (2) est le premier à avoir tenté de faire le raccord de ces deux résultats ; mais les première recherches générales sur ce sujet sont dues à M. Montel (3, 4) qui, en appliquant la méthode des suites normales de fonctions analytiques, démontra un théorème qualitatif pour les polynomes satisfaisant à la condition (R) (et à d'autres relations analogues) et donna, dans les cas simples, la solution des problèmes quantitatifs ainsi posés : ainsi il put indiquer le plus petit intervalle $(-\theta(n), +\theta(n)$ $\theta < 1)$ où un polynôme de degré n satisfaisant à (R) admet au moins une racine pour $n \leqslant 9$. Peu après, M. Biernacki (2) obtint le nombre $\theta(n)$ pour toutes les valeurs de n comme racine d'un polynome qu'il ne reconnut pas. M. L. Tchakaloff (1, 2, 3, 5) résolut complètement le problème et créa, pour le traiter, une méthode n'utilisant pas les variables complexes, donnant toute la précision désirable et s'étendant facilement à des questions analogues.

Cette méthode, avec diverses modifications ou extensions, fut reprise par moi-même (1,2), mais nous ne l'exposerons pas ici car les raisons de son succès n'apparaissent pas nettement et sont masquées par son élégance, ce qui compromet les possibilités d'extension.

La véritable source des résultats que nous allons établir est, à notre avis, dans les formules de quadratures mécaniques, connues depuis longtemps, et, par leur emploi, les démonstrations semblent dépouillées de tout artifice.

2. *Notions sur le problème des moments.* — Nous plaçant dans le même ordre d'idées qu'au chapitre précédent : savoir l'existence d'une relation linéaire et homogène entre les coefficients d'un polynôme, on est amené à se poser la question préalable suivante :

A quelles conditions doit satisfaire la suite indéfinie de constantes réelles :

$$c_0, c_1, \cdots, c_n, \cdots \qquad (c_0 > 0)$$

pour que tout polynôme $P(x)$, *à coefficients réels :*

$$P(x) = a_0 + a_1 x + \cdots + a_n x^n$$

dont les coefficients satisfont à la relation :

$$a_0 c_0 + a_1 c_1 + \cdots + a_n c_n = 0$$

admette au moins une racine réelle ?

Avant d'aborder ce problème. nous rappellerons quelques définitions et quelques résultats dus à M. Hamburger (1).

Soit la forme quadratique à une infinité dénombrable de variables

$$(2) \qquad F_0 = \sum_{i,j\,=\,0}^{+\infty} c_{i+j} x_i x_j,$$

nous dirons qu'elle est *définie positive* si, quel que soit n, la forme

$$(3) \qquad \sum_{i,j\,=\,0}^{n} c_{i+j} x_i x_j.$$

est définie positive, nous dirons qu'elle est *semi-définie positive* si, à partir d'une certaine valeur de n, les formes précédentes (3) sont semi-définies positives.

Pour qu'une forme (2) soit définie positive il est nécessaire et suffisant que tous les déterminants

$$\begin{vmatrix} c_0 & c_1 \cdots c_{n-1} \\ c_1 & c_2 \cdots c_n \\ \cdots & \cdots\cdots\cdots \\ c_{n-1} & c_n \cdots c_{2n-2} \end{vmatrix} \qquad (n = 1, 2, \cdots),$$

soient positifs. Pour qu'une forme (2) soit semi-définie positive il est nécessaire et suffisant que les déterminants précédents soient tous nuls à partir d'une certaine valeur de n.

Le *problème des moments de Hamburger*, extension du problème de Stieltjès, est le suivant :

Déterminer une fonction $\Psi(x)$ non décroissante telle que

$$(4) \qquad \int_{-\infty}^{+\infty} x^n d\Psi = c_n \qquad (n = 0, 1, 2, \cdots),$$

où les c_n sont des constantes réelles données et où l'intégrale précédente est prise, naturellement, au sens de Stieltjes.

M. Hamburger démontre que, pour que ce problème ait au moins une solution, avec une fonction Ψ présentant une infinité de points de croissance, il est nécessaire et suffisant que *la forme quadratique (2) correspondante soit définie positive* : dans le cas où cette forme est semi-définie positive le problème des moments peut être résolu par une fonction Ψ ne présentant qu'un nombre fini de points de croissance. La partie la plus importante du Mémoire de M. Hamburger est celle où il recherche des critères relatifs au cas où le problème est déterminé, c'est-à-dire où la fonction Ψ est définie à une constante près par les égalités (4) ; mais nous n'utiliserons pas ces résultats.

D'autre part, avant M. Hamburger, Stieltjès (1) a démontré que la condition nécessaire et suffisante pour qu'il existe une fonction Ψ dont les points de croissance sont compris dans l'intervalle $(0, +\infty)$, c'est-à-dire pour que le problème des moments :

$$(4') \qquad \int_0^{+\infty} x^n d\Psi = c_n$$

admette au moins une solution est que, en dehors de la formule $(2)_1$ la forme :

$$(2') \qquad F_1 = \sum_0^{+\infty} c_{i+j+1} x_i x_j$$

soit, elle aussi, définie positive (ou tout au moins semi-définie).

En combinant ces deux résultats, il est facile d'obtenir une condition nécessaire et suffisante pour que le problème des moments :

$$(4'') \qquad \int_a^b x^n d\Psi = c_n \qquad (-\infty < a < b < +\infty)$$

admette une solution. D'après le résultat de Stieltjes, il suffira d'écrire que les deux fonctions Ψ_1 et Ψ_2 définies par :

$$d\Psi_1 = (x - a)d\Psi ; \qquad d\Psi_2 = (b - x)\, d\Psi$$

fournissent des constantes capables d'une solution du problème des moments, ce qui, entre les formes F_0 et F_1, donne les relations :

$$a F_0 \leq F_1 \leq b F_0$$

Nous ajouterons enfin que, dans le cas où a et b sont finis, le problème des moments est déterminé.

3. *Suites de constantes c_n.* — *Etant donnée une suite de constantes*

$$c_0, \quad c_1, \quad c_2, \quad \cdots, \quad c_n, \quad \cdots \ (n = 0, 1, \cdots; \ c_0 > 0),$$

nous allons montrer que, pour qu'un polynôme réel $P(x)$ dont les coefficients satisfont à la relation (1) *ait une racine réelle au moins, il est nécessaire et suffisant que le problème des moments*

$$\int_{-\infty}^{+\infty} x^n d\Psi = c_n$$

ait une solution.

D'après M. Hamburger il suffit, pour montrer que la condition est nécessaire, de prouver que la forme (2) ne peut pas être non définie. Si cette dernière éventualité était réalisée, il existerait alors une valeur de n pour laquelle la forme (3) ne serait pas même semi-définie ; on pourrait alors, pour cette valeur de n, trouver des valeurs des variables x_i telles que

$$\sum_{i,j=0}^n c_{i+j} x_i x_j + c_0 = 0.$$

Considérons alors l'équation en x de degré $2n$

$$\sum_{i,j=0}^{n} x^{i+j}x_i x_j + 1 = 0$$

elle satisfait évidemment à la condition (1) et elle s'écrit

$$\left(\sum_{i=0}^{n} x^i x_i \right)^2 + 1 = 0,$$

sous cette forme nous voyons qu'elle n'a pas de racine réelle : c'est-à-dire que nous arrivons à une contradiction.

Soit maintenant Ψ une solution du problème des moments

$$\int_{-\infty}^{+\infty} x^n d\Psi = c_n$$

les polynômes qui satisfont à la condition (1) sont ceux pour lesquels on a

$$\int_{-\infty}^{+\infty} P(x)d\Psi = 0.$$

et inversement ; cette égalité nous montre qu'ils présentent au moins un changement de signe entre $-\infty$ et $+\infty$, c'est-à-dire qu'ils ont au moins une racine réelle d'ordre impair.

Notre proposition se trouve ainsi complètement démontrée.

Remarquons aussi que, pour tout polynôme admettant une fonction réelle ξ on peut écrire l'égalité (5) avec une fonction Ψ n'admettant qu'un seul point de croissance en ξ.

4. — En restreignant le problème posé relativement aux constantes c, on peut exiger que tout polynôme $P(x)$ satisfaisant à (1) admette au moins une racine non négative.

Je dis qu'il est nécessaire et suffisant pour qu'il en soit ainsi que la forme F_1 soit au moins semi-définie positive, c'est-à-dire que le problème des moments $(4')$ ait, au moins, une solution.

En effet, si F_1 n'était pas semi-définie, on pourrait déterminer une valeur de n et des valeurs des variables x_i telles que :

$$\sum_{i,j=0}^{n} c_{i+j+1}x_i x_j + c_0 = 0$$

Considérons alors l'équation en x :

$$\sum_{i,j=0}^{n} x^{i+j+1}x_i x_j + 1 = 0$$

elle satisfait à la condition (1) et elle s'écrit :

$$x\left(\sum_{i=0}^{n} x^i x_i\right)^2 + 1 = 0$$

et sous cette dernière forme on voit qu'elle n'a pas de racine positive ; on arrive donc à une contradiction et la condition est nécessaire. Elle est aussi suffisante en vertu du résultat de Stieltjès rappelé plus haut, car (1) s'écrit alors :

$$\int_0^{+\infty} P(x)d\Psi = 0.$$

Utilisant alors les résultats rappelés au sujet du problème des moments (4″) nous pouvons rassembler les conclusions qui précèdent dans l'énoncé suivant :

Etant donnée une suite de constantes

$$c_0, c_1, c_2, \cdots, c_n, \cdots (n = 0,1 \cdots, c_0 > 0)$$

pour que tout polynôme réel $P(x)$ dont les coefficients satisfont la relation (1) admette une racine réelle au moins comprise entre a et b ($-\infty \leqslant a < b \leqslant +\infty$), il est nécessaire et suffisant que le problème des moments :

$$\int_a^b x^n d\Psi = c_n$$

admette une solution.

5. — Dans ce qui va suivre nous considérerons uniquement les suites de constantes c pour lesquelles le problème des moments est possible et nous examinerons d'abord le cas le plus complexe : celui où les fonctions solutions de (4) ont une infinité de points de croissance.

Une telle fonction Ψ étant donnée, on sait que l'on appelle *polynôme de Tchebitchef* de degré n de cette fonction, un polynôme $\Phi_n(x)$ qui satisfait à la condition suivante

$$\int_{-\infty}^{+\infty} \Phi_n(x) Q_{n-1}(x)d\Psi = 0,$$

où $Q_{n-1}(x)$ désigne un polynome quelconque de degré au plus égal à $n - 1$. Ce polynôme Φ_n est défini à un facteur près et l'on peut, pour fixer cette constante au signe près, ajouter la condition

$$\int_{-\infty}^{+\infty} \Phi_n(x)d\Psi = 1.$$

Il est loisible alors de supposer que le coefficient du terme en x^n dans Φ_n est positif ; les polynômes obtenus finalement sont dits *normés*.

D'ailleurs, pour former la suite des polynômes Φ_n, il n'est pas nécessaire de connaître la fonction Ψ : la connaissance de la suite des constantes c suffit.

Outre la définition des polynomes Φ_n, nous utiliserons aussi le fait que toutes leurs racines sont réelles et simples et que, entre deux racines consécutives de Φ_n, se trouve une racine de Φ_{n-1}.

Examinons le cas où la fonction Ψ admet un nombre fini de points de croissance, $\xi_1, \xi_2.., \xi_r$ supposés rangés par ordre de grandeur croissante, en chacun desquels la fonction admet les sauts $s_1, s_2,..., s_r$. Ceci revient à dire que la répartition de masses réalisées par la fonction Ψ consiste seulement en r masses isolées d'intensité s_ν appliquées aux points ξ_ν. On a alors :

$$c_k = \sum_{\nu = 1}^{r} s_\nu \xi_\nu^k$$

et le premier déterminant nul rencontré dans la suite considéré au N° 2 est :

$$\begin{vmatrix} c_0 & c_1 & \cdots & c_r \\ c_1 & c_2 & \cdots & c_{r+1} \\ \cdots\cdots\cdots\cdots\cdots \\ c_r & c_{r+1} & \cdots & c_{2r} \end{vmatrix}$$

Les polynômes de Tchebitchef peuvent être construits jusqu'à celui d'ordre r inclusivement qui a pour racines les nombres ξ_ν ; mais, comme la condition (5) s'écrit ici :

$$\sum_{\nu = 1}^{r} s_\nu \mathrm{P}(\xi_\nu) = 0$$

Φ_r ne pourra être normé car, ici :

$$\int_{-\infty}^{+\infty} \Phi_r^2(x)\,d\Psi = 0.$$

6. *Formules de quadratures mécaniques.* — La fonction Ψ ayant maintenant au moins r points de croissance, je dis qu'il est possible de distribuer r masses positives s_ν ($\nu = 1, 2,.. r$) en des points ξ_ν de l'axe des x de façon que :

$$(6) \qquad \sum_{\nu=1}^{r} s_\nu \xi_\nu^k = c_k \qquad (k = 0,1, \cdots, 2r-1)$$

où c_k désigne le moment d'ordre k de cette fonction.

Tout d'abord nous avons $2r$ équations pour autant d'inconnues et, d'après ce qui précède, ce problème des moments particulier a une solution qui est unique car, tout d'abord, les polynomes de Tchebitchef, jusqu'à l'ordre $r-1$ ne dépendent que des constantes c_k avec $k < 2r-1$, et le polynome Φ_r est déterminé, à un facteur près, par la connaissance de c_{2r-1}, et, si la fonction Ψ a plus de r points de croissance nous prendrons pour Φ_r le polynome de cette fonction.

Les ξ_ν sont donc les racines de ce polynôme, nous les supposerons rangées par ordre de grandeur croissante ; il nous reste à déterminer les intensités s_ν des masses, nous savons qu'elles sont positives, mais nous le vérifierons.

Soit $f(x)$ un polynôme de degré $r-1$ au plus, il est déterminé par la connaissance de ses valeurs aux points ξ_ν, c'est-à-dire que l'on a, en appliquant la formule d'interpolation de Lagrange :

$$f(x) = \sum_{\nu=1}^{r} f(\xi_\nu) \frac{\Phi_r(x)}{(x-\xi_\nu)\,\Phi_r'(\xi_\nu)}.$$

Pour un polynome $P(x)$ de degré $(2r-1)$ au plus, en le divisant par $\Phi_r(x)$ on a :

$$P(x) = \Phi_r(x)Q(x) + R(x)$$

où $Q(x)$ et $R(x)$ sont des polynômes de degré $(r-1)$ au plus. On a évidemment $P(\xi_\nu) = R(\xi_\nu)$, d'où :

$$R(x) = \sum_{\nu=1}^{r} P(\xi_\nu) \frac{\Phi_r(x)}{(x-\xi_\nu)\Phi_r'(\xi_\nu)}$$

et de plus, à cause de la propriété d'orthogonalité de Φ_r.

$$\int_{-\infty}^{+\infty} P(x)d\Psi = \int_{-\infty}^{+\infty} R(x)d\Psi$$

ce qui s'écrit :

(7) $$\int_{-\infty}^{+\infty} P(x)d\Psi = \sum_1^r P(\xi_\nu) \int_{-\infty}^{+\infty} \frac{\Phi_r(x)}{(x-\xi_\nu)\Phi_r'(\xi_\nu)}d\Psi.$$

En faisant en particulier $P(x) = x^k \, (k \leqslant 2r-1)$ on en déduit :

$$\sum_{\nu=1}^r \xi_\nu^k \int_{-\infty}^{+\infty} \frac{\Phi_r(x)}{(x-\xi_\nu)\Phi_r'(\xi_\nu)}d\Psi = c_k \qquad (0 \leqslant k \leqslant 2r-1)$$

et en comparant avec les équations (6) nous trouvons :

$$s_\nu = \int_{-\infty}^{+\infty} \frac{\Phi_r(x)}{(x-\xi_\nu)\Phi_r'(\xi_\nu)}d\Psi \qquad (\nu = 1, 2, \cdots, r)$$

car ces équations ont au plus une solution lorsque les ξ_ν sont différents.

Remarquons encore que si le degré de $P(x)$ ne dépasse pas r on a :

$$P(\xi_\nu) \int_{-\infty}^{+\infty} \frac{\Phi_r(x)}{(x-\xi_\nu)\Phi_r'(\xi_\nu)}d\Psi = \int_{-\infty}^{+\infty} P(x) \frac{\Phi_r(x)}{(x-\xi_\nu)\Phi_r'(\xi_\nu)}d\Psi$$

ce qui se voit en effectuant d'abord la divison de $P(x)$ par $(x-\xi_\nu)$ puis en appliquant la propriété d'orthogonalité de $\Phi_r(x)$.

Dans (7) posons alors :

$$P(x) = \Phi_{r-1}(x)Q(x)$$

où Q désigne maintenant un polynôme de degré $r-2$ au plus ; le premier membre est alors nul, donc :

$$\sum_{\nu=1}^r \Phi_{r-1}(\xi_\nu)Q(\xi_\nu) \int_{-\infty}^{+\infty} \frac{\Phi_r(x)}{(x-\xi_\nu)\Phi_r'(\xi_\nu)}d\Psi =$$

$$\sum_{\nu=1}^r \Phi_{r-1}(\xi_\nu) \int_{-\infty}^{+\infty} Q(x) \frac{\Phi_r(x)}{(x-\xi_\nu)\Phi_r'(\xi_\nu)}d\Psi = 0.$$

Faisons en particulier :

$$Q(x) = \frac{\Phi_r(x)}{(x-\xi_j)(x-\xi_k)} \qquad (j \neq k, \, 1 \leqslant j, k \leqslant r)$$

nous trouvons :

$$s_j\Phi_{r-1}(\xi_j)\Phi_r'(\xi_j) = s_k\Phi_{r-1}(\xi_k)\Phi_r'(\xi_k)$$

ce qui nous permet d'écrire :

$$A = s_\nu\Phi_{r-1}(\xi_\nu)\Phi_r'(\xi_\nu) = \Phi_{r-1}(\xi_\nu)\int_{-\infty}^{+\infty}\frac{\Phi_r(x)}{x-\xi_\nu}d\Psi = \int_{-\infty}^{+\infty}\frac{\Phi_{r-1}(x)\Phi_r(x)}{x-\xi_\nu}d\Psi$$

où A est indépendant de ν. Pour calculer ce dernier nombre ajoutons les égalités relatives aux différentes valeurs de ν, on aura :

$$rA = \int_{-\infty}^{+\infty}\Phi_{r-1}(x)\Phi_r'(x)d\Psi.$$

Les polynômes Ψ étant normés, désignons par α_μ (> 0) le coefficient du terme en x^μ de celui d'ordre μ, on aura :

$$\Phi_r'(x) = \frac{r\alpha_r}{\alpha_{r-1}}\Phi_{r-1}(x) + R$$

R étant un polynôme de degré $r-2$ ou plus ; de la formule précédente nous tirons alors :

$$A = \frac{\alpha_r}{\alpha_{r-1}} (> 0).$$

D'autre part, les nombres $\Phi_{r-1}(\xi_\nu)\Phi'_r(\xi_\nu)$ sont tous de même signe car entre deux racines consécutives de Φ_r se trouve une seule racine de Φ_{r-1} et une seule de Q'_r, les nombres s_ν ont donc tous le même signe, ce signe est positif puisque leur somme c_0 est positive ([1]). Finalement, la formule (7) s'écrit :

$$(7') \qquad \int_{-\infty}^{+\infty}P(x)d\Psi = \sum_1^r s_\nu P(\xi_\nu) \qquad (s_\nu > 0)$$

c'est la formule dite des *quadratures mécaniques*.

7. *Résultats fondamentaux.* — Considérons un polynôme $P(x)$,

---

[1] En vertu d'une formule de DARBOUX [voir J. SHOHAT (1)] on a aussi :

$$\frac{1}{s_\nu} = \sum_{i=0}^{r-1}\Phi_i^2(\xi_\nu)$$

satisfaisant à une condition (1) capable d'être écrite sous la forme (5) et de degré $2\,r — 1$ au plus ; la condition (5) s'écrit alors, en vertu de (7') :

$$(8) \qquad \sum_{i=1}^{r} s_{\nu} \mathrm{P}(\xi_{\nu}) = 0$$

comme les s_{ν} sont tous positifs, cette égalité signifie que les $\mathrm{P}(\xi_{\nu})$ n'ont pas tous le même signe ; c'est-à-dire que le polynôme $\mathrm{P}(x)$ admet au moins une racine d'ordre impair intérieure à l'intervalle (ξ_1, ξ_r) donc :

Tout polynôme $\mathrm{P}(x)$ *réel, de degré* $2r — 1$ *au plus, et s atisfaisant à la condition* (5) *avec une fonction* Ψ *admettant au moins r points de croissance, admet au moins une racine intérieure à l'intervalle contenant les racines du polynôme de Tchebitchef d'ordre r de la fonction* Ψ.

Cet intervalle est-il minimum ? autrement dit, existe-t-il un intervalle plus petit possédant la même propriété quel que soit P de degré non supérieur à $2r — 1$?

D'abord cet intervalle n'est certainement pas minimum pour les polynômes de degré inférieur à $2r — 2$ en vertu du résultat précédent et de la disposition relative des zéros de Φ_r et de Φ_{r-1} il reste donc à examiner le cas des polynômes de degré $2r — 1$ et $2r — 2$.

Prenons tout d'abord le cas où P est de degré $2r — 1$ et montrons que l'on peut trouver un tel polynôme satisfaisant à (8) et n'ayant qu'une racine réelle ξ intérieure à (ξ_1, ξ_r) et donnée à l'avance.

Ce fait est à peu près immédiat si l'on songe que les valeurs $\mathrm{P}(\xi_{\nu})$ sont liées par la seule relation (8). On peut satisfaire à cette relation en posant :

$$\mathrm{P}(\xi_{\nu}) = (\xi_{\nu} — \xi)\varepsilon_{\nu}^{2}$$

construisons alors un polynôme $\mathrm{U}(x)$ de degré $r — 1$ au plus tel que :

$$\mathrm{U}(\xi_{\nu}) = \varepsilon_{\nu} \qquad (\nu = 1, 2, \cdots, r)$$

puis calculons les nombres η_1 et η_r ayant respectivement le signe de $\Phi'_r(\xi_1)$ et de $\Phi'_r(\xi_r)$ et tels que :

$$s_1(\xi_1 — \xi)\eta_1^2 + s_2(\xi_r — \xi)\eta_r^2 = 0$$

et considérons le polynôme :

$$V(x) = \Phi_r(x) \left[\frac{\eta_1}{(x - \xi_1)\Phi_r{}'(\xi_1)} + \frac{\eta_r}{(x - \xi_r)\Phi_r{}'(\xi_r)} \right]$$

qui s'annule aux points ξ_ν (sauf ξ_1 et ξ_r) et en un autre point.

Nous choisirons les ε_ν de façon que $U(x)$ ne s'annule pas en ce point, (si $r > 2$), alors le polynome :

$$P(x) = (x - \xi)[U^2 + V^2]$$

est de degré $2r - 1$, il satisfait à (8) et admet la seule racine ξ intérieure (ξ_1, ξ_r). L'intervalle ouvert (ξ_1, ξ_r) est donc aussi un *ensemble minimum* pour les polynômes de degré $2r - 1$, en ce sens qu'il existe des polynômes de ce degré satisfaisant à (8) et qui n'ont aucun zéro dans tout vrai sous-ensemble de l'intervalle précédent ; d'ailleurs tout ensemble minimum devant contenir les racines ξ des polynomes $P(x)$, contiendra l'intervalle ouvert (ξ_1, ξ_r) qui est donc le seul ensemble minimum.

On peut aussi prendre $P(x)$ sous la forme :

$$P(x) = (x - \xi)\Phi_r^2(x) \left\{ \sum_{\nu = 1}^{r} \left[\frac{\varepsilon_\nu}{(x - \xi_\nu)\Phi_r{}'(\xi_\nu)} \right]^2 \right\}$$

les constantes ε_ν devront satisfaire la condition :

$$\sum_{\nu = 1}^{2} s_\nu(\xi_\nu - \xi)\varepsilon_\nu^2 = 0.$$

Enfin, dans le cas où $r = 2$ ($2r - 1 = 3$) nous avons le même résultat, sauf que si $P(x)$ s'annule pour ξ_1, il doit s'annuler pour ξ_2, et inversement ; par conséquent on a les ensembles minimums : $(\xi_1 \leqslant \xi < \xi_2 ; \xi_1 < \xi \leqslant \xi_2)$. Si $r = 1$, le polynôme $P(x)$ s'annule au point $\frac{c_1}{c_0}$, zéro de Φ_1.

8. — Le cas où $P(x)$ est de degré $2r - 2$ va nous arrêter plus longtemps. Nous supposerons d'abord $r > 2$ et le polynôme $P(x)$ étant cette fois de degré pair et ayant au moins une racine ξ entre ξ_1 et ξ_2, en admet donc au moins une autre η que nous mettrons en évidence.

Nous allons d'abord démontrer que l'intervalle (ξ_1, ξ_r) est minimum pour les polynômes de degré au plus égal à $2r - 2$; pour cela nous remarquerons que, puisque nous avons déjà montré que l'intervalle (ξ'_1, ξ'_{r-1}) des racines du polynôme Φ_{r-1} est minimum pour les polynômes dont le degré ne dépasse pas $2r - 3$, il suffira de montrer que, quel que soit ξ, compris dans l'un des intervalles : $(\xi_1 < \xi \leqslant \xi'_1 ; \xi'_{r-1} \leqslant \xi < \xi_r)$ on peut trouver un polynôme de degré $2r - 2$, satisfaisant à (8) et n'admettant pas d'autre racine que ξ dans (ξ_1, ξ_r).

Posons pour cela :

$$P(x) = (x - \xi)(x - \eta)\left[\frac{\Phi_r^2(x)}{(x - \xi_1)^2(x - \xi_r)^2} + \lambda\right]$$

et, pour fixer les idées, admettons que $\xi_1 < \xi \leqslant \xi'_1$; la relation (8) a la forme :

(9) $A - B\eta + \lambda[c_2 - \xi c_1 - \eta(c_1 - c_0\xi)] = 0$.

Le coefficient B est positif, c'est en effet l'intégrale :

$$\int_{-\infty}^{+\infty} (x - \xi)\, \frac{\Phi^2(x)}{(x - \xi_1)^2(x - \xi_r)^2}\, d\Psi$$

et le polynôme qui figure sous le signe d'intégration est de degré $2r - 3$, l'intégrale précédente s'écrit donc sous la forme (7), mais avec les $r - 1$ racine du polynôme Φ_{r-1} et les valeurs du polynôme à intégrer en ces points sont positives puisque $\xi \leqslant \xi'_1$.

La quantité $c_1 - c_0\, \xi$ est aussi positive car ξ est plus petit que la racine $\frac{c_1}{c_0}$ de Φ_1 en vertu de la séparation mutuelle des racines des Φ_r ; de plus le coefficient de λ dans (9) est négatif pour $\eta = \xi_r$ car cette quantité s'écrit sous la forme (7) avec $r = 2$ et les racines ξ_ν correspondantes sont intérieures à $(\xi_1\xi_r)$, donc le produit $(x - \xi)\,(x - \xi_r)$ est négatif pour ces valeurs.

D'autre part $A - B\eta$ est positif pour $\eta = \xi_r$ car, en l'évaluant au moyen de (7), on trouve :

$$s_1(\xi_1 - \xi)(\xi_1 - \xi_r)\, \frac{\Phi_r'^2(\xi_1)}{(\xi_1 - \xi_r)^2} > 0.$$

Prenons alors un nombre η, plus grand que ξ_r mais assez voisin de lui pour que le coefficient de λ et le terme indépendant de λ dans (9) soient encore respectivement négatif et positif, l'équation (9) donne alors pour λ une valeur positive de sorte que le polynôme $P(x)$ satisfait à (8) et admet la seule racine ξ dans (ξ_1, ξ_r).

Un raisonnement analogue vaut pour l'intervalle $(\xi'_{r-1} \leqslant \xi < \xi_r)$ et le résultat annoncé est complètement démontré.

Observons enfin que nous pouvons prendre $\eta = \xi_r$ et ξ entre ξ_1 et ξ'_1 avec λ positif de sorte que P(x) admet seulement deux racines, résultat que nous utiliserons tout à l'heure.

Pour aller plus loin remarquons que si nous écrivons la relation (5) sous sa forme primitive (1), la valeur de c_{2r-1} n'intervient pas, nous voyons donc que tout intervalle contenant les racines d'un polynôme de Tchebitchef d'ordre r relatif à une fonction croissante ayant les mêmes moments que Ψ jusqu'à l'ordre $2r - 2$, sera un intervalle minimum.

Il suffit donc de regarder si les équations (6), où c_{2r-1}, est, cette fois-ci variable, admettent des solutions ; or, cela est immédiat car, à toute valeur de c_{2r-1}, on peut faire correspondre une valeur de c_{2r} telle que les $2r + 1$ moments ainsi trouvés soient ceux d'une fonction à r points de croissance. Les polynômes de Tchebitchef correspondants, d'ordre inférieur à r, seront les mêmes que les précédents car ils ne dépendent que des moments jusqu'à l'ordre $2r - 2$. Le polynôme d'ordre r devant être orthogonal à un polynôme quelconque de degré $r - 2$ et ces relations n'utilisant que les constantes précédentes, sera donc, à un facteur près, de la forme :

$$(10) \qquad \Phi_r(x) + a\Phi_{r-1}(x)$$

D'ailleurs, quel que soit a, tout polynôme de cette forme est orthogonal à tout polynôme de degré inférieur à r, à condition de choisir convenablement c_{2r-1} ; par suite, et il est facile de le voir directement, les zéros du polynôme précédent sont séparés par les zéros de Φ_{r-1} et l'intervalle $(\xi_1{}^a, \xi_r{}^a)$ contenant ces zéros est un intervalle minimum.

Si l'on fait augmenter a indéfiniment, l'une des racines du polynôme (10) augmente indéfiniment et les autres tendent vers les racines, $\xi'_1,..., \xi'_{r-1}$ de Φ_{r-1} ; or, si l'on pose :

$$P(x) = a_{2r-2}x^{2r-2} + \cdots$$

la relation (8) se réduit à :

$$\frac{a_{2r-2}}{\alpha_{r-1}^2} + \sum_{\nu=1}^{r-1} s'_\nu P(\xi'_\nu) = 0$$

J. FAVARD.   3

Le polynôme $P(x)$ satisfaisant à (5) admet donc au moins une racine dans chacun des intervalles $(-\infty, \xi'_{r-1})$ et $(\xi'_1, +\infty)$ et ces deux intervalles sont minimums. Démontrons-le, par exemple, pour le premier ; il suffira de prouver que, quel que soit $\xi (\leqslant \xi'_1)$ on peut trouver un polynôme de degré $2r-2$ n'ayant que ξ comme racine dans cet intervalle car, dans (ξ'_1, ξ'_{r-1}) on peut prendre un polynôme de degré $2r-3$.

Soit ξ_1^a un nombre inférieur à ξ, déterminons a par l'égalité :

$$(11) \qquad \Phi_r(\xi_1^a) + a\Phi_{r-1}(\xi_1^a) = 0$$

et appliquons le résultat précédent : nous pouvons déterminer un polynôme $P(x)$ satisfaisant à (5) et admettant, outre ξ, une seule autre racine supérieure à ξ_r^a, donc à ξ'_{r-1} ; le résultat est donc établi.

Soit maintenant un intervalle minimum quelconque, pour les polynômes satisfaisant à (5) et de degré non supérieur à $2r-2$; il doit comprendre l'intervalle (ξ'_1, ξ'_{r-1}) minimum pour les polynômes de degré $2r-3$; si cet intervalle est infini, il coïncide donc avec l'un des deux intervalles qui viennent d'être définis ; s'il n'est pas infini, appelons ξ_1^a son extrémité gauche, si nous déterminons a par l'équation (11), nous voyons qu'il coïncide avec (ξ_1^a, ξ_r^a).

Venons aux ensembles minimums ; un tel ensemble ne peut pas être intérieur à un intervalle minimum et il contient l'intervalle fermé (ξ'_1, ξ'_{r-1}). S'il ne coïncide pas avec l'un des intervalles minimums infinis, il existe un nombre ξ_r^a supérieur à ξ'_{r-1} et n'appartenant pas à cet ensemble, soit ξ_1^a le nombre correspondant, l'ensemble contient tous les points du segment (ξ_1^a, ξ_1') car nous avons vu que l'on peut construire un polynôme $P(x)$ de degré $2r-2$ s'annulant seulement en un point ξ quelconque de cet intervalle et au point ξ_r^a. Soit ξ_r^b la borne inférieure des nombres ξ_r^a, ξ_r^b ne peut être égal à ξ'_{r-1}, car alors l'ensemble minimum coïcidenrait avec l'intervalle $(-\infty, \xi'_{r-1})$ puisque ξ_1^a augmente indéfiniment lorsque ξ_r^a tend vers ξ'_{r-1} ; mais alors l'ensemble minimum contient l'intervalle (ξ_1^b, ξ_r^b) car, lorsque a tend vers b, ξ_1^a tend vers ξ_1^b et l'ensemble contient l'intervalle (ξ_1^a, ξ_r^b) ; finalement, on a pour $r > 2$:

Tout ensemble minimum coïncide avec un intervalle minimum.

Enfin, dans le cas où $r = 2$ $(2r - 2 = 2)$, en posant

$$P(x) = (x - \xi)(x - \eta)$$

la relation (5) devient :

$$c_2 - (\xi + \eta)\, c_1 + \xi\eta c_0 = 0$$

ou :

$$\left(\xi - \frac{c_1}{c_0}\right)\left(\eta - \frac{c_1}{c_0}\right) = -\frac{c_0 c_2 - c_1^2}{c_0^2}.$$

Le produit des distances des racines au zéro de Φ_1 est donc constant et négatif, ce qui donne immédiatement un intervalle contenant un zéro et aussi les ensembles minimums.

9. — Les choses vont tout autrement si l'on se borne à chercher les intervalles minimums pour les polynômes de degré $2r - 2$, en considérant les polynômes de degré inférieur comme dégénérés (c'est-à-dire admettant des racines infinies).

Nous plaçant à ce point de vue, nous allons montrer que tout intervalle fermé $(\xi_\nu, \xi_{\nu+1})$ limité par deux zéros consécutifs de Φ_r, a pour complémentaire un intervalle minimum [1]. Nous prendrons $P(x)$ sous la forme :

$$P(x) = (x - \xi)(x - \eta)\left[\frac{\Phi_r^2(x)}{(x - \xi_\nu)^2(x - \xi_{\nu+1})^2} + \lambda\right]$$

où ξ désigne un nombre extérieur à l'intervalle $(\xi_\nu, \xi_{\nu+1})$, plus petit que ξ_ν pour fixer les idées, mais à cela près, quelconque.

Nous nous proposons de montrer que l'on peut trouver η, dans l'intervalle $(\xi_\nu, \xi_{\nu+1})$ et λ positif, de façon à satisfaire à la relation (5) qui s'écrit ici :

$$k_\nu(\xi_\nu - \eta) + k_{\nu+1}(\xi_{\nu+1} - \eta) + \lambda[c_2 - \xi c_1 - \eta(c_1 - c_0\xi)] = 0$$

où k_ν et $k_{\nu+1}$ sont positifs. La partie indépendante de λ dans le premier membre de cette expression s'annule donc pour une valeur de η, soit η_0, comprise entre ξ_ν et $\xi_{\nu+1}$. Si le coefficient de λ s'annule aussi en η, nous prendrons $\eta = \eta_0$ et λ quelconque mais positif. Dans le cas contraire, qui est aussi le cas général, nous

---

[1] Le cas du numéro précédent revient à considérer la somme des deux intervalles $(-\infty < x < \xi_1)$ et $(\xi_r \leqslant x < +\infty)$ comme un seul intervalle.

prendrons η suffisamment voisin de r_0 pour que la partie indépendante de λ et le coefficient de λ soient de signes opposés ; l'équation précédente donnera alors une valeur de λ positive. Un raisonnement analogue vaut lorsque ξ est supérieur à $\xi_{\nu+1}$, notre résultat est donc démontré, il vaut donc aussi pour les intervalles $(\xi_\nu^a, \xi_{\nu+1}^a)$ relatifs au polynôme (10) et on peut le démontrer également pour a infini, c'est-à-dire pour les intervalles $(\xi'_\nu, \xi'_{\nu+1})$.

De plus nous remarquerons que quand ξ tend vers ξ_ν, la valeur de η qui vient d'être déterminée tend vers $\xi_{\nu+1}$, la distance des deux racines tend alors vers $\xi_{\nu+1} - \xi_\nu$.

Grossièrement ce résultat signifie que les racines d'un polynôme $P(x)$, de degré $2r - 2$, satisfaisant à (5), ne peuvent pas être toutes accumulées dans certains intervalles. Nous allons préciser cela ; soit ξ la plus grande racine d'un tel polynôme $P(x)$, déterminons a par l'équation :

$$\Phi_r(\xi) + a\Phi_{r-1}(\xi) = 0$$

($a = \infty$ éventuellement) ; le nombre ξ reçoit alors un numéro parmi les racines de l'équation (10), soit : $\xi = \xi^a_{\nu+1}$; et ν est positif puisque $P(x)$ a, au moins, une autre racine qui est inférieure à ξ^a_ν, et l'intervalle contenant toutes les racines de $P(x)$ a donc une longueur supérieure à

$$\xi^a_{\nu+1} - \xi^a_\nu$$

D'ailleurs, nous venons de voir qu'il existe des polynômes $P(x)$ dont les racines sont comprises dans un intervalle surpassant ce nombre d'aussi peu qu'on le veut.

Posons alors :

$$\delta^a_r(\Psi) = \min_{\nu = 1, 2, \cdots, r-1} \left[\xi^a_{\nu+1} - \xi^a_\nu \right]$$

ce nombre est la longueur du plus petit intervalle séparant deux racines consécutives de (10) ; puis écrivons :

$$\delta_r(\Psi) = \operatorname*{borne\ inf}_{-\infty \leqslant a \leqslant +\infty} [\delta^a_r(\Psi)]$$

les résultats qui précédent s'énoncent ainsi ($r > 2$) :

La longueur de l'intervalle limité par les changements de signes extrêmes de tout polynôme $P(x)$ de degré $2r - 2$ et satisfaisant à *la condition (5) est supérieure à* $\delta_r(\Psi)$ *et cette limitation est la meilleure possible.*

10. — La fonction Ψ étant donnée, la condition (5) peut s'exprimer aussi en disant que la représentation de $P(x)$ par une combinaison linéaire des Φ_n n'a pas de terme constant, autrement dit que l'on a

$$P(x) = \alpha_1\Phi_1(x) + \alpha_2\Phi_2(x) + \cdots$$

Cette forme suggère immédiatement un autre problème encore peu étudié : Que peut-on dire des zéros du polynôme $P(x)$ lorsque les coefficients α_i sont nuls jusqu'à un certain rang ? En dehors des résultats précédents on a le résultat suivant :

Si α_k est le coefficient de plus faible indice susceptible de ne pas s'annuler, le polynôme $P(x)$ a au moins k racines réelles (changements de signe).

11. — *Applications*. Le théorème de la moyenne pour les fonctions croissantes Ψ que nous venons de considérer s'exprime par l'égalité :

$$\int_{-\infty}^{+\infty} P(x)d\Psi = \mu \int_{-\infty}^{+\infty} d\Psi$$

P désignant un polynôme réel quelconque et μ une valeur prise par $P(x)$ sur l'axe réel (ou dans l'intervalle contenant tous les points de croissance de Ψ) il s'agit ici d'indiquer un intervalle où se trouve forcément un nombre ξ tel que $P(\xi) = \mu$.

Or, la relation précédente s'écrit :

$$\int_{-\infty}^{+\infty} [P(x) - \mu]d\Psi = 0$$

de sorte que le polynôme $P(x) - \mu$ satisfait à (5), le problème revient donc à indiquer un intervalle où ce polynôme s'annule : c'est le problème que nous venons de résoudre.

Ainsi on a :

$$\int_{-\infty}^{+\infty} P(x)d\Psi = P(\xi) \int_{-\infty}^{+\infty} d\Psi$$

où ξ est un nombre compris entre les zéros de Φ_{r-1} lorsque le degré de P ne dépasse pas $2r - 1$; dans les applications on peut donc se borner au cas où $\mu = 0$, c'est ce que nous ferons désormais.

Enfin, lorsque les points de croissance de Ψ sont dans un intervalle fini, on peut, par similitude, transformer cet intervalle dans $(-1_1 + 1)$, la similitude inverse permet facilement la transposition des résultats trouvés.

1° *Théorème de Rolle et des accroissements finis.* — Prenons d'abord la fonction Ψ suivante :

$$
\begin{aligned}
d\Psi &= dx &&\text{pour} &&-1 \leqslant x \leqslant 1 \\
d\Psi &= 0 &&\text{pour} &&x < -1 \text{ et } x > 1
\end{aligned}
$$

les polynômes $P(x)$ sont ceux pour lesquels

$$\int_{-1}^{+1} P(x)dx = 0,$$

et les polynômes $\Phi_n(x)$ sont les polynômes de Legendre. On obtient ainsi le résultat de M. Montel (4) complété par M. Tchakaloff (1) relativement au théorème des accroissements finis ; le résultat relatif aux polynomes de degré pair est nouveau et son énoncé se transpose facilement.

2° *Formule de Taylor.* — En désignant par $F(x)$ une fonction de la variable réelle x, définie dans l'intervalle $(a \leqslant x \leqslant b)$, admettant dans ce même intervalle une dérivée continue d'ordre $p + 1$, la formule de Taylor peut être démontrée en partant de l'égalité

$$
\begin{aligned}
F(b) &= F(a) + (b-a)F'(a) + \cdots + \frac{(b-a)^p}{p!} F^{(p)}(a) \\
&+ \int_a^b F^{(p+1)}(x) \frac{(b-x)^p}{p!} dx.
\end{aligned}
$$

On applique le théorème de la moyenne au dernier terme ce qui donne

$$
\begin{aligned}
\int_a^b F^{(p+1)}(x) \frac{(b-x)^p}{p!} dx &= F^{(p+1)}(\xi) \int_a^b \frac{(b-x)^p}{p!} dx \\
&= F^{(p+1)}(\xi) \frac{(b-a)^{p+1}}{(p+1)!},
\end{aligned}
$$

ξ étant compris entre a et b.

Prenons pour fonction $F(x)$ un polynôme et supposons, cas auquel on peut toujours se ramener comme nous l'avons vu, que $a = -1$, $b = 1$ et que $F^{(p+1)}(\xi) = 0$; dans ces conditions où pouvons-nous prendre le nombre ξ ?

En posant $F^{(p+1)}(x) = P(x)$, le polynôme $P(x)$ satisfait à la relation

$$\int_{-1}^{+1} P(x)(1-x)^p dx = 0,$$

ici nous avons

$$d\Psi = (1-x)^p \quad \text{pour} \quad -1 \leqq x \leqq 1.$$
$$d\Psi = 0 \quad \text{pour} \quad x < -1 \text{ et } x > 1,$$

et la place d'un nombre ξ nous est indiquée par les résultats précédents. Les polynômes Φ_n sont ici les polynômes hypergéométriques

$$(1-x)^p \Phi_n(x) = \frac{(-1)^n}{2^n n!} \frac{d^n}{dx^n}[(1-x)^{p+n}(1+x)^n].$$

Nous avons pris la forme du reste de Lagrange ; des précisions analogues aux précédentes s'obtiendront en prenant la forme plus générale de Schlömilch ; il faudra poser :

$$F^{(p+1)}(x)(1-x)^q = P(x) \qquad q \leqq p ;$$

pour $p = q$, on a la forme du reste due à Cauchy.

3º D'autres exemples sont fournis par les formules sommatoires, les méthodes de quadratures approchées des intégrales et les formules de quadratures mécaniques ; dans la formule du reste intervient dans chaque cas une fonction croissante Ψ.

Comme dernier exemple, indiquons comment on peut traiter le problème réel analogue à celui examiné au nº 7 (Chap. I).

Considérons un polynôme réel, prenant pour p valeurs réelles données a_ν ($\nu = 1, 2... p$; $a_\nu < a_{\nu+1}$) les mêmes valeurs qu'un polynome de degré $p-2$; la dérivée $p-1^e$ de ce polynôme s'annule comme on sait, dans l'intervalle (a_1, a_p). Des précisions seront obtenues par les considérations précédentes ; en désignant par $P(x)$ la dérivée $(p-1)^e$ de ce polynôme, celui-ci s'écrit :

$$\int_{a_1}^{t} (t-x)^{p-2} P(x) dx$$

à un polynôme de degré $p - 2$ près ; de sorte que, d'après notre hypothèse, on a :

$$| 1\, a_\nu a_\nu^2 \cdots\cdots a_\nu^{p-2} \int_{a_1}^{\cdot a_\nu} (a_\nu - x)^{p-2} \mathrm{P}(x)dx\, | = 0 \qquad (\nu = 1, 2, \cdots, p)$$

et il est facile de voir que cette relation est de la forme (5).

Par exemple, si un polynôme prend pour : $- 1, 0, + 1$, les mêmes valeurs qu'un polynome du 1er degré, l'équation précédente s'écrit :

$$\int_{-1}^{+1} [1 - |\, x\, |\,]\mathrm{P}(x)dx = 0.$$

Enfin si le polynôme en question s'annule pour $- 1, 0, + 1$, sa dérivée s'annule dans chacun des intervalles $(- 1, 0)$ et $(0, + 1)$ et, d'après ce qui précède, la distance des racines extrêmes de cette dérivée, comprises dans $(- 1, + 1)$, présente un minimum. La valeur exacte de ce minimum n'est connue que dans des cas particuliers [Montel (4)].

Une autre question à approfondir serait celle de la réciproque du théorème de Rolle pour les polynômes : on voit facilement que si la dérivée d'un polynome s'annule en ξ (ξ n'étant pas racine de la dérivée seconde), à toute valeur a de x suffisamment voisine de ξ, il correspond une valeur b, de l'autre côté de ξ, telle que les valeurs prises par ce polynome en ces points soient égales ; le rapport $\dfrac{ab}{a\xi}$ étant borné supérieurement par les considérations précédentes [1].

12. — *Distributions de matière sur une courbe.* — Sur une courbe C plane, un arc ou une courbe fermée simple de Jordan rectifiable pour préciser, considérons une distribution de matière : c'est-à-dire qu'ayant choisi une origine des arcs σ et un sens positif sur C, nous envisageons une fonction non décroissante $\Psi(\sigma)$ telle que :

$$\int_C d\Psi > 0.$$

Pour cette distribution, au lieu de définir les polynômes de

---

[1] Dans la résolution des équations numériques, cette remarque peut aider à trouver des intervalles où sont situées les racines réelles.

Tchebitchef comme nous le ferons plus loin à propos des distributions dans le plan, on les définit plutôt par les conditions :

$$\int_C \Phi_n(z)\overline{\Phi_m(z)}d\Psi = \begin{cases} 0, m \neq n \\ 1, m = n \end{cases} \quad (m, n \geqslant 0)$$

$$\Phi_n(z) = a_n z^n + \cdots \quad (a_n \text{ réel} > 0)$$

z désignant une variable complexe $x + iy$ définie au moyen de
deux axes x et y du plan de C, $\overline{\Phi_m(z)}$ désignant l'imaginaire con-
juguée de $\Phi_m(z)$, la fonction Ψ étant de plus capable de toutes
les intégrales de la forme :

$$\int_C z^n \overline{z^m} d\Psi \quad (m, n \geqslant 0)$$

Cela étant, la forme hermitienne aux variables conjuguées $x_\nu, \bar{x}_\nu$:

$$\int_C \left| \sum_{\nu=0}^n x_\nu z^\nu \right|^2 d\Psi = \sum_{\lambda,\mu=0}^n c_{\lambda,\mu} x_\lambda \bar{x}_\mu$$

est définie positive. La condition analogue à (5) pour un polynôme P (z) s'écrit :

$$(12) \qquad \int_C P(z)d\Psi = 0$$

c'est une relation de la nature de celles étudiées au chapitre I et
donner des précisions au sujet des racines de P serait revenir
sur un sujet déjà traité ([1]) ; cependant, par les considérations précédentes, nous sommes amenés à regarder cette relation sous un
autre jour : celui des quadratures mécaniques.

A ma connaissance ce point de vue n'a fait l'objet d'aucune
recherche, sauf lorsque C est un cercle, cas traité, pour un autre
objet, par M. Carathéodory (1).

Au point de vue réel, l'usage de (12) est dans les égalités :

$$\int_C \mathcal{R}[P]d\Psi = 0; \quad \int_C \mathfrak{I}(P)d\Psi = 0;$$

$\mathcal{R}$ = partie réelle ; $\mathfrak{I}$ = partie imaginaire

---

([1]) Dans une note aux C. R., parue pendant la composition (t. 201, p. 923),
M. Kharadzé a étudié, d'un point de vue un peu différent, le cas d'une distribution homogène sur une étoile régulière, centrée à l'origine, et formée de segments de longueurs égales.

Si l'on dispose alors d'une formule de quadrature mécanique, on pourra indiquer des arcs de C où $\Re(P)$, ou $\Im(P)$, s'annulent.

Prenons le cas où C est le cercle de rayon 1 centré à l'origine ; en posant $\sigma = \theta$ et :

$$\int_C z^\nu d\Psi = c_\nu \qquad (c_{-\nu} = \bar{c}_\nu),$$

on a :

$$\int_0^{2\pi} \left| \sum_1^n x_\nu z^\nu \right|^2 d\Psi = \sum_{\lambda,\,\mu=0}^n c_{\lambda-\mu} x_\lambda \bar{x}_\mu$$

Or, d'après M. Carathéodory, si l'hermitienne précédente est définie positive, il existe n couples de nombres :

$$s_\nu,\, z_\nu; \quad (\nu = 1, 2, \cdots n); \quad s_\nu \geqslant 0; \quad |z_\nu| = 1; \quad z_\nu = e^{i\theta_\nu}$$

tels que :

(13) $$c_k = \sum_{\nu=1}^n s_\nu z_\nu^k \qquad (k = \pm 1\ \pm 2,\, \cdots,\, \pm n)$$

et l'on a :

$$c_0 - h = \sum_{\nu=1}^n s_\nu \quad \text{avec } h \geqslant 0.$$

Soit $P(z)$ un polynôme de degré n au plus, il vient, d'après les relations précédentes :

$$\int_c P(z) d\Psi = \sum_{\nu=1}^n s_\nu P(z_\nu) + h P(0)$$

ou :

$$\int_0^{2\pi} P(e^{i\theta}) d\Psi = \sum_{\nu=1}^n s_\nu P(e^{i\theta_\nu}) + h P(0).$$

Si P satisfait à (12), elle indique des points où $P(z)$ prend des valeurs dont le polygone de sustentation contient l'origine.

Lorsque les s_ν ne sont pas tous nuls ($h \neq c_0$), on a la conséquence suivante : soit

$$S_n(\theta) = \sum_{\nu=1}^n (a_\nu \cos \nu\theta + b_\nu \sin \nu\theta)$$

un polynôme trigonométrique d'ordre n satisfaisant à :

$$\int_0^{2\pi} S_n(\theta)d\Psi = 0$$

il est facile de voir qu'on peut lui associer un polynome trigono-métrique $C_n(\theta)$ tel que : $C_n + i\,S_n = P\,(e^{i\theta})$ où P désigne un polynôme de degré n satisfaisant à (12) ; la formule de quadrature précédente donne alors :

$$\sum_{\nu=1}^n s_\nu S_n(\theta_\nu) = 0$$

de sorte que $S_n(\theta)$ s'annule sur tout arc contenant tous les nombres θ_ν.

Les s_ν ne seront tous nuls que si

$$c_k = 0 \qquad \text{pour } k \not\equiv 0(\mid k \mid \leqslant n)$$

cas d'une distribution qui se comporte jusqu'à l'ordre n comme une distribution homogène. Dans cette hypothèse, les polynômes $P(z)$ qui satisfont à (12) s'annulent à l'origine, mais en cherchant s_ν et z_ν de façon à satisfaire aux équations (13) seulement jusqu'à $\mid k \mid = n-1$ et à :

$$c_0 = \sum_{\nu=1}^n s_\nu$$

on peut prendre pour s_ν des nombres égaux et, quant aux z_ν, on peut poser, θ étant quelconque :

$$\arg z_\nu = \theta + \nu \frac{2\pi}{n} \qquad (\nu = 1, 2, \cdots, n).$$

Pour un polynome trigonométrique nous trouvons alors :

$$\sum_{\nu=1}^n S_{n-1}\left(\theta + \nu \frac{2\pi}{n}\right) = 0$$

c'est-à-dire que *tout polynôme trigonométrique sans terme constant et d'ordre au plus égal à $n-1$, s'annule au moins une fois dans tout arc de longueur* : $2\pi - \dfrac{2\pi}{n}$.

Cette limitation est la meilleure possible ; on le voit en prenant S_{n-1} sous la forme :

$$S_{n-1} = (\cos \theta - \alpha) \left\{ \varepsilon + \frac{1 + \cos n\, \theta}{\left(\cos \theta - \cos \dfrac{\pi}{n} \right)^2} \right\}$$

on peut alors satisfaire à la relation précédente avec ε positif et $\alpha < \cos \dfrac{\pi}{n}$, mais aussi voisin de ce nombre que l'on veut [Tchakaloff (4)].

13. — *Distributions de matière dans le plan.* — Quant aux distributions de matière dans un espace à plusieurs dimensions, ou sur des variétés, nous examinerons seulement le cas d'une distribution dans un plan.

Considérons une fonction d'ensemble positive définie dans un plan dont les points ont été repérés au moyen de deux axes de coordonnées x et y rectangulaires ; sur un ensemble E appartenant à un corps fermé, nous écrirons la valeur de cette fonction :

$$\iint_E d\Psi(x, y) \geqslant 0 \qquad \left(\text{avec} \int_{-\infty}^{+\infty} \int_{-\infty}^{+\infty} d\Psi > 0 \right).$$

Nous dirons que cette fonction est une distribution de matière si les moments :

$$c_{n_1,\, n_2} = \int_{-\infty}^{+\infty} \int_{-\infty}^{+\infty} x^{n_1} y^{n_2}\, d\Psi \qquad (n_1,\, n_2 \geqslant 0)$$

existent. Cela étant, on peut alors former une suite orthogonale et normale de polynômes de Tchebitchef $\Phi_n(x,y)$, c'est-à-dire satisfaisant à :

$$\int_{-\infty}^{+\infty} \int_{-\infty}^{+\infty} \Phi_m \Phi_n d\Psi = \begin{cases} 0 & m \neq n \\ 1 & m = n \end{cases}$$

tandis que tout polynôme en x et y est représentable par une combinaison linéaire des Φ_n. Ici n désigne simplement un numéro d'ordre et non plus le degré de Φ_n ; de plus la suite $\{\Phi_n\}$ n'est pas unique.

Le problème analogue à celui que nous venons de traiter serait le suivant : sachant que le polynôme P(x,y), de degré n par rapport à l'ensemble des variables x et y, satisfait à :

$$(13) \qquad \int_{-\infty}^{+\infty} \int_{-\infty}^{+\infty} P(x, y)d\Psi = 0$$

indiquer des domaines dans lesquels (ou des courbes sur lesquelles) la courbe :

$$(14) \qquad P(x, y) = 0$$

admet obligatoirement des points.

Le cas le plus favorable sera celui où l'on disposera d'une formule de quadrature mécanique indiquant que la fonction Ψ se comporte, au moins jusqu'aux moments utilisés dans la formule (13), comme une distribution d'un nombre fini de masses isolées s_ν placées en des points (ξ_ν, η_ν) $(\nu = 1, 2,...)$. La formule (13) prendra alors la forme :

$$\sum s_\nu P(\xi_\nu, \eta_\nu) = 0$$

elle indiquera que les valeurs de P aux différents points (ξ_ν, η_ν) n'ont pas toutes le même signe, c'est-à-dire que la courbe (14) a au moins un point dans tout domaine contenant les (ξ_ν, η_ν) et, plus précisément, qu'elle a au moins un point commun avec toute courbe (ou tout continu) contenant les points (ξ_ν, η_ν). Dans le cas général, il n'a pas été établi de formule de quadrature ; nous nous contenterons d'examiner un exemple.

Soit une distribution :

$$d\Psi(x, y) = d\omega_1(x)d\omega_2(y)$$

où ω_1 et ω_2 sont des fonctions non décroissantes et soient $\Phi_{n_1}^{\omega_1}(x)$ et $\Phi_{n_2}^{\omega_2}(y)$ les polynômes de Tchebitchef qui correspondent aux deux distributions ω_1 et ω_2 sur les axes, comme suite de polynômes de Tchebitchef relative à Ψ, on peut prendre :

$$\Phi_{n_1}^{\omega_1}(x) \cdot \Phi_{n_2}^{\omega_2}(y) \qquad (n_1, n_2 \geqslant 0).$$

Désignons par ξ_{ν_1} les zéros de $\Phi_{n_1}^{\omega_1}$ et par η_{ν_2} les zéros de $\Phi_{n_2}^{\omega_2}(y)$ rangés par ordre de grandeur croissante et par $s_{\rho_1}^{\omega_1}$ et $s_{\rho_2}^{\omega_2}$ les masses attribuées en ces points par les formules de quadratures mécaniques relatives aux distributions ω_1 et ω_2 sur les axes x et y.

Considérons les $r_1 \cdot r_2$ points de coordonnées :

$$(\xi_{\nu_1}, \eta_{\nu_2}) \qquad (\nu_1 = 1, 2, \cdots, r_1 ; \nu_2 = 1, 2, \cdots, r_2)$$

en chacun desquels on a disposé la masse $s_{\nu_1}^{\omega_1} \cdot s_{\nu_2}^{\omega_2}$; comme on a ici :

$$c_{n_1, n_2} = \int_{-\infty}^{+\infty} x^{n_1} d\omega_1 \cdot \int_{-\infty}^{+\infty} y^{n_2} d\omega_2$$

la distribution donnée sera équivalente à la distribution précédente pourvu que : $n_1 \leqslant 2r_1 - 1$; $n_2 \leqslant 2r_2 - 1$. Soit alors $P(x,y)$ un polynôme de degré $2r_1 - 1$ au plus par rapport à x et de degré $2r_2 - 1$ au plus par rapport à y, satisfaisant à (13) ; cette relation équivaut à :

$$\sum_{\substack{\nu_1 = 1, \cdots, r_1 \\ \nu_2 = 1, \cdots, r_2}} s_{\nu_1}^{\omega_1} \cdot s_{\nu_2}^{\omega_2} \cdot P(\xi_{\nu_1}, \eta_{\nu_2}) = 0$$

et la courbe (14) a des points sur tout continu contenant les $r_1 \cdot r_2$ points $(\xi_{\nu_1}, \eta_{\nu_2})$; par exemple considérons les r_1 segments parallèles à Oy : $\{ x = \xi_{\nu_1}, \eta_1 \leqslant y \leqslant \eta_{r_2} \}$ et les r_2 segments parallèles à Ox : $\{ y = \eta_{\nu_1} ; \xi_1 \leqslant x \leqslant \xi_{r_1} \}$ si la courbe (14) n'a aucun point sur aucun des r_1 premiers segments, elle en a sur chacun des r_2 autres et inversement.

Prenons en particulier :

$$d\Psi = \begin{cases} dxdy & \text{pour } a \leqslant x \leqslant b ; c \leqslant y \leqslant d \\ 0 & \text{ailleurs} \end{cases}$$

la relation (13) s'écrit :

$$\int_a^b \int_c^d P(x, y) dxdy = 0$$

et les polynômes $\Phi_{n_1}^{\omega_1}(x)$ et $\Phi_{n_2}^{\omega_2}(y)$ sont les polynômes de Legendre relatifs aux segments (a,b) et (c,d). Ce cas présente un intérêt spécial, car il se rattache à une généralisation du théorème des accroissements finis exprimée par l'égalité :

$$F(b, d) - F(b, c) - F(a, d) + F(a, c) = \int_a^b \int_c^d \frac{\partial^2 F}{\partial x \partial y} \, dxdy$$
$$= (b - a)(d - c) \frac{\partial^2 F(\xi, \eta)}{\partial x \partial y}$$

nous pourrons donc indiquer, lorsque F est un polynôme, des courbes sur lesquelles se trouve un point (ξ, η).

La question des ensembles minimums n'a pas été abordée ; dans le cas que nous venons de traiter, et si l'on se borne aux ensembles fermés, peut-être ceux-ci sont-ils les continus irréductibles contenant les points $(\xi_{\nu_1}, \eta_{\nu_2})$.

14. — Signalons enfin une importante généralisation, due à M. Schoenberg (1), du résultat obtenu au n° 3. Considérons une suite infinie de fonctions de la variable réelle x, définies dans $(a \leqslant x \leqslant b)$, continues et linéairement indépendantes :

$$\varphi_0(x) = 1, \varphi_1(x), \cdots, \varphi_n(x) \cdots (-\infty < a < b < +\infty)$$

et soit

$$c_0 > 0, c_1, \cdots, c_n, \cdots$$

une suite infinie de constantes ; pour que toute combinaison linéaire de la forme :

$$\varphi(x) = a_0\varphi_0 + a_1\varphi_1 + \cdots + a_n\varphi_n$$

dont les cœfficients satisfont à la relation :

$$a_0c_0 + a_1c_1 + \cdots + a_nc_n = 0$$

s'annule au moins une fois dans (a,b), il est nécessaire et suffisant que le système :

$$\int_a^b \varphi_n(x)d\Psi = c_n \qquad (n = 0, 1, 2, \cdots)$$

admette au moins une solution Ψ non décroissante.

Signalons aussi un travail de M. Obrechkoff (1) où l'auteur étend les résultats obtenus au n° 7 aux polynômes :

$$P(x) = \alpha_1\Phi_1(x) + \alpha_2\Phi_2(x) + \cdots$$

les polynômes Φ_n, de degré indiqué par l'indice, étant assujettis à satisfaire à une relation de récurrence de la forme :

$$\Phi_n(x) = (x - c_n)\Phi_{n-1}(x) - \lambda_n\Phi_{n-2}(x) \qquad (\lambda_\lambda > 0)$$

Enfin d'autres généralisations du théorème des accroissements finis ont été établies par M. G. Pólya (1).

Voici l'un de ces résultats, où l'on suppose, naturellement, l'existence des fonctions et des dérivées qui figurent dans l'énoncé :

Soit $u(x,y)$ une fonction de deux variables réelles, définie dans une région plane, bornée et simplement connexe, et s'annulant sur la frontière ; soit $N(x,y)$ la fonction définie par :

$$\Delta N(x,\, y) = \frac{\partial^2 N}{\partial x^2} + \frac{\partial^2 N}{\partial y^2} = 1 ; \qquad N(x,y) = 0 \text{ sur la frontière}$$

alors on a, quel que soit (x,y) intérieur à la région :

$$u(x,\, y) = N(x,\, y)\Delta u(\xi,\, \eta)$$

où $(\xi,\, \eta)$ est intérieur à la région.

De plus une méthode analogue à celle exposée ici a fait l'objet d'une note de M. G. Mihoc, parue pendant la composition de ce fascicule (C. R. t. 200 (1935), p. 1654).

BIBLIOGRAPHIE

I. E. ABASON.
  1. Sur le théorème des accroissements finis (*Bull. Ec. Poly.*, Bucarest, 1929, p. 4 et 81 ; 1930, p. 149).
II. J. W. ALEXANDER.
  1. Functions which map the interior... (*Annals of Math.* (2), t. 17 (1925), p. 12-22).
III. M. BIERNACKI.
  1. Sur les équations algébriques... (*Thèse*, Paris 1928 et *Bull. Acad. Polo.*, (1928), p. 541-685).
  2. Sur le théorème de Rolle (*Bull. Ec. Poly.*, Bucarest, t. 2 (1931), p. 164-170).
IV. C. CARATHÉODORY.
  1. — Ueber den Variabilitätsbereich... (*Rend. del Circ. Mat.*, Palermo, t. 32 (1911), p. 193-217).
V. A. COHN.
  1. Ueber die Anzahl der Würzeln... (*Math. Zeit.*, t. 14 (1922), p. 110-148).
VI. J. DIEUDONNÉ.
  1. Recherches sur quelques problèmes... (*Annales Ec. Norm. Sup.* (3), t. 48 (1931), p. 247-358).
  2. Sur le théorème de Grace (*Bull. Soc. Math. de France*, t. 60 (1932), p. 173-196).
VII. J. FAVARD.
  1. Sur les zéros réels des polynômes (*C. R. Acad. Sc.*, Paris, t. 191 (1931), p. 716-717).
  2. Sur les zéros réels des polynômes (*Bull. Soc. Math. France*, t. 59 (1931), p. 229-255).
VIII. J. H. GRACE.
  1. The zeros of a polynomial (*Proc. of Cam. Philo. Soc.*, t. 11 (1900-1902), p. 352-357).
IV. H. HAMBURGER.
  1, Ueber eine Erweiterung des Stieltjesschen Momentenproblems (Teil I) (*Math. Annalen*, t. 81 (1920), p. 235-318).
X. P. J. HEAWOOD.
  1. Geometrical relations between the roots of $f(x) = 0$, $f'(x) = 0$ (*Quat. Jour. of Math.*, t. 38 (1907), p. 84-107).
XI. S. KAKEYA.
  1. On zeros of a polynomial and its derivatives (*Tohoku. Math. Jour.*, t. 11 (1917), p. 5-16).
XII. P. MONTEL.
  1. Leçons sur les familles normales (Gauthier-Villars, Paris, 1927).
  2. Sur une formule de Darboux et les polynomes d'interpolation (*Annali della R. Scuola Norm. Sup.*, Pise, Série 2, t. 1 (1932), p. 371-384).

J. FAVARD. 4

3. Sur quelques conséquences du théorème de Rolle (*C.-R. Acad. Sc.*, Paris, t. 191, 1930, p. 511).

4. Sur les zéros des dérivées des fonctions analytiques (*Bull. Soc. Math. France*, t. 58 (1930), p. 105-126).

5. Sur quelques rapports nouveaux entre l'algèbre et la théorie des fonctions (*Mathematica*, t. 9, p. 47-55).

XIII. N. OBRECHKOFF.

1. Sur les zéros réels des polynômes (*Mathematica*, t. 10, 1935, p. 132-136).

XIV. G. PÓLYA.

1. Quelques théorèmes analogues au théorème de Rolle (*C. R. Acad. Sc.*, Paris, t. 199 (1934), p. 655-657).

XV. D. POMPEIU.

1. Einige Sätze über monogene Funktionen (*Sitz. ber. des Kaiser. Akad. des Wiss. in Wien*, 1911).

2. Sur le théorème des accroissements finis (*Ann. Sc. Un. Jassy*, t. 15 (1930), p. 255 et *Bull. Soc. Sc. Cluj*, t. 4 (1930), p. 245).

XVI. I. J. SCHOENBERG.

1. Convex domains and linear... (*Bull. of Amer. Math. Soc.*, t. 39 (1933), p. 273-280).

XVII. J. SHOHAT.

1. Théorie générale des polynômes orthogonaux de Tchebicheff (*Mém. Sc. Math.*, Fasc. 66, Gauthier-Villars, Paris).

XVIII. Th. STIELTJÈS.

1. Recherches sur les fractions continues (*Annales Fac.*, Toulouse, t. 8 (1894), p. 1-122 et t. 9 (1895), p. 1-47).

XIX. G. SZEGÖ.

1. Bemerkungen zu einem Satz von J. H. Grace (*Math. Zeit.*, t. 13 (1922), p. 28-55).

XX. L. TCHAKALOFF.

1. Sur le théorème des accroissements finis (*C.-R. Acad. Sc.*, Paris, t. 192 (1931), p. 32).

2. Sur l'intervalle de variabilité de ξ dans la formule... (*C. R. Acad. Sc.*, Paris, t. 192 (1931), p. 330).

3. Sur un problème de minimum concernant une certaine classe de polynomes (*C. R. Acad. Sc.*, Paris, t. 197 (1933), p. 572).

4. Sur une propriété des polynômes trigonométriques (*C. R. Acad. Sc.*, Paris, t. 195 (1932), p. 411).

5. Sur la structure des ensembles linéaires définis par une certaine propriété minimale (*Acta Math.*, t. 63 (1934), p. 77-97).

6. Ueber einen Satz von Darboux (*Congrès des Math.*, Zürich, 1932, t. 2, p. 66.

XXI. J. L. WALSH.

1. On the location of the roots of the jacobian... (*Trans of Amer. Math. Soc.*, t. 22, 1921, p. 101-116).

2. On the location of the roots of the jacobian... (*Trans of Amer. Math. Soc.*, t. 24, 1922, p. 31-69).

3. On the location of the roots of certain types... (*Trans of Amer. Math. Soc.*, t. 24, 1922, p. 163-180).

TABLE DES MATIÈRES

———

Saint-Amand (Cher). — Imprimerie R. Bussière. — 15-1-1936

ACTUALITÉS SCIENTIFIQUES ET INDUSTRIELLES

PUBLIÉES SOUS LA DIRECTION DE MM.

Actualités Scientifiques et Industrielles

SAINT-AMAND (CHER). — IMPRIMERIE R. BUSSIÈRE. — 16-1-1936.